366
HISTOIRES
DE LAPINS

Adaptation française de Maïca Sanconie
Texte original de Francisca Fröhlich
Illustrations de Christl Vogl
Révision : Cécile Edrei

Première édition française 1997 par Librairie Gründ, Paris
© 1997 Librairie Gründ pour l'édition française
ISBN : 2-7000-1672-6
Dépôt légal : août 1997
Édition originale 1997 par Rebo Productions, Lisse
Sous le titre original : *365 Konijntjes*
© 1997 Rebo Productions, Lisse
Texte composé en Adobe Garamond et en Lithos

Photocomposition : GPI
Imprimé en Slovénie

Loi n° 49-956 du 16 juillet 1949 sur les publications destinées à la jeunesse.

366
HISTOIRES
DE LAPINS

Texte original de Francisca Fröhlich
Illustrations de Christl Vogl
Adaptation française de Maïca Sanconie

GRÜND

1ᴱᴿ JANVIER Le Bois Profond

Quelque part dans les collines, tout
près de la mer, se trouve le Bois
Profond. C'est là que vit la famille
Grandes-Zoreilles : le Papa lapin,
la Maman lapin et leurs enfants.
Tous ont de grandes oreilles, un petit nez rond,
de grands pieds pour sauter très haut et bien sûr,
une adorable petite queue toute douce.
Vous aimeriez les connaître? Suivez-moi!
Nous allons jeter un coup d'œil
dans leur terrier.

2 JANVIER La Colline Câline

La famille Grandes-Zoreilles habite dans un terrier. Dans la
Colline Câline, vivent dix familles de lapins. Nous sommes
à présent en hiver. Il y a beaucoup de neige. Où est
donc l'entrée du terrier de la famille Grandes-Zoreilles ?
Ah! La voilà! Il faut dégager la neige. Nous avançons dans
un long tunnel. Heureusement, quelqu'un a allumé
une bougie, sinon, nous n'y verrions rien.
Enfin, nous arrivons dans le salon, une pièce confortable,
chaude et accueillante. Et quels jolis meubles!
Dans le buffet, il y a treize assiettes et treize bols.
Pourquoi treize? Pour porter bonheur? Mais non!
C'est parce que Monsieur et Madame Grandes-
Zoreilles ont onze enfants. Onze plus deux,
ça fait treize. Quelle belle
et grande famille!

3 JANVIER Le Manuel des Lapins

Papa Grandes-Zoreilles lit à haute voix une page du *Manuel des Lapins.* Tout ce que les lapins ont besoin de savoir y est écrit. Pratique, n'est-ce pas ? Chaque chapitre se termine par cette phrase : « Prenez garde à Goupilou le Rouquin ! » Goupilou, c'est le renard. Et il adore les lapins bien tendres, figurez-vous…
Les Grandes-Zoreilles doivent toujours regarder si Goupilou ne se cache pas dans les parages. Mais Goupilou est très intelligent.
Il invente toujours de méchantes ruses pour attraper son dîner…

4 JANVIER **J'ai même pas peur !**

Comment ne pas laisser de traces dans la neige ?
Papa Grandes-Zoreilles vient d'ouvrir le *Manuel des Lapins* et lit l'explication.
– Surtout, prenez garde à Goupilou ! déclare-t-il en refermant le livre.
Les enfants tremblent de frayeur à l'idée de se faire attraper par le renard.
Seule Roberta dit :
– Peuh ! Moi, j'ai même pas peur ! Et surtout pas de Goupilou…
Roberta est une petite lapine très courageuse. En fait, elle aurait bien aimé être un garçon.
Quand Maman Grandes-Zoreilles veut lui faire mettre une robe,
Roberta obéit de mauvaise grâce et ronchonne toute la journée.
– Pourquoi ne mettrais-je pas un jean et un vieux pull-over, comme d'habitude ?
murmure-t-elle. C'est tellement plus confortable !

5 JANVIER **Margot**

Margot Grandes-Zoreilles est très coquette. Rien à voir avec ce garçon manqué de Roberta !

Elle reste des heures devant le miroir à ajuster dans ses cheveux un joli bandeau rose, puis elle brosse longuement sa petite queue ronde.

Tous les lapins sont très fiers de leur petite queue et en prennent grand soin.

Maman Grandes-Zoreilles a expliqué à ses enfants comment faire leur toilette : tous les matins, ils se débarbouillent, puis nettoient leur queue. Ensuite, ils doivent la sécher et la brosser pendant au moins dix minutes.

Et qui brosse la sienne pendant une bonne demi-heure ?

Margot, naturellement !

6 JANVIER — Brrr! Il fait vraiment froid!

– Debout, les enfants! dit Maman Grandes-Zoreilles
en tapant dans les mains.
Les onze petits lapins s'étirent en bâillant, puis filent hors du terrier
l'un derrière l'autre pour faire leur toilette.
Pendant ce temps, Maman met la table du petit déjeuner.
Elle est en train de poser le treizième bol près des autres
quand Margot rentre en courant.
– Maman! Maman! L'eau a gelé et je ne peux pas me débarbouiller
ni laver ma petite queue ronde!
– Ne t'inquiète pas, ma chérie, répond Maman Grandes-Zoreilles en
souriant. Prends de la neige et frotte-toi avec. Cela te lavera tout aussi bien.
Margot obéit, mais brrr! Ce que c'est froid, la neige, sur son petit derrière!
« J'espère que la glace sera fondue demain », se dit-elle en frissonnant.

7 JANVIER   **Comme deux gouttes d'eau**

Hip Grandes-Zoreilles a une sœur jumelle.
Comment s'appelle-t-elle ?
Facile : Hop la Belle !
Comment est-elle ?
Eh bien, comme son frère Hip !
Seuls leurs assiettes et leurs bols
sont roses pour Hop et bleus pour Hip.
Comme c'est drôle !
Impossible de distinguer ces deux jumeaux !
« Nous nous ressemblons comme deux gouttes d'eau,
disent-ils en souriant. Quand nous serons grands,
qui sait ? Peut-être serons-nous différents. »

8 JANVIER   **Hop et Hip ? Ou Hip et Hop ?**

La famille Grandes-Zoreilles est à table. Avant de manger, Papa Grandes-
Zoreilles s'assure que toutes les petites queues sont propres.
– Hmmm, très bien ! Très bien… Parfait ! murmure-t-il d'un ton satisfait.
Mais en arrivant derrière les chaises des jumeaux, il voit
une petite queue propre et une petite queue toute sale.
– Hop ! Veux-tu bien aller te nettoyer ! ordonne-t-il, mécontent.
Puis il ouvre tout grand les yeux, étonné. Voilà la petite queue sale
qui reste assise et la propre qui court hors du terrier…
Les dix petits lapins pouffent de rire. Papa s'est encore trompé.

9 JANVIER Des jumeaux à casquette

Papa Grandes-Zoreilles en a assez.
Hip et Hop se ressemblent vraiment beaucoup trop. Il
faut absolument trouver un moyen
de les distinguer. Enfin, il a une idée !
– À partir de maintenant, Hop portera un ruban dans les
cheveux. Comme ça, je saurais que ce n'est pas Hip.
Hop n'aime pas ça du tout. Si elle porte un ruban, et pas Hip,
ils ne seront plus de vrais jumeaux.
Cela la rend tellement triste qu'elle a envie de pleurer.
Mais Maman Grandes-Zoreilles comprend le chagrin de sa petite fille.
Heureusement, elle aussi a trouvé une solution. Elle ouvre le placard et en tire
deux casquettes : une rouge et une bleue. Hop ne sera pas obligée de porter
un ruban si elle promet de mettre la casquette rouge et Hip la casquette bleue.
Youpi ! Hip et Hop sont très contents et coiffent aussitôt leurs casquettes !

10 JANVIER   Un petit coin tranquille

Ce n'est pas toujours drôle d'avoir dix frères et sœurs. Surtout
si on aime dormir plus que tout au monde, comme Charlie
Grandes-Zoreilles.
Dès qu'il le peut, Charlie cherche un petit coin tranquille pour
sommeiller. Ce matin, il s'est caché derrière le rideau du salon.
– Personne ne me trouvera, ici, murmure-t-il en bâillant.
Je vais pouvoir dormir bien tranquillement.
Il pousse un grand soupir et ferme les yeux, puis part pour
le pays des rêves, tout content.

11 JANVIER   Tarzan Grandes-Zoreilles

– Rrrr ! Pfff… Rrrr ! Pfff…
Quel est ce petit bruit derrière le rideau ?
C'est Charlie, bien sûr, tout endormi, qui ronfle.
Il rêve. Il ne s'appelle plus Charlie mais Tarzan, le roi de la jungle !
Il se bat avec les lions, nage plus vite que le plus rapide des crocodiles
et grimpe plus haut que le plus agile des singes. Mais lorsqu'il veut
s'élancer d'un arbre, accroché à une liane, vlan ! Quelqu'un l'attrape !
– Au secours ! Goupilou me tient, il va me manger ! crie-t-il en
se réveillant en sursaut. Surprise ! C'est sa maman qui a posé sa patte
sur lui et non le vilain renard. Charlie est drôlement soulagé !
En voulant balayer derrière le rideau, Maman Grandes-
Zoreilles a trouvé son garçon profondément endormi.
– Ce n'est pas un lapin, ma parole ! déclare-t-elle.
C'est une marmotte !

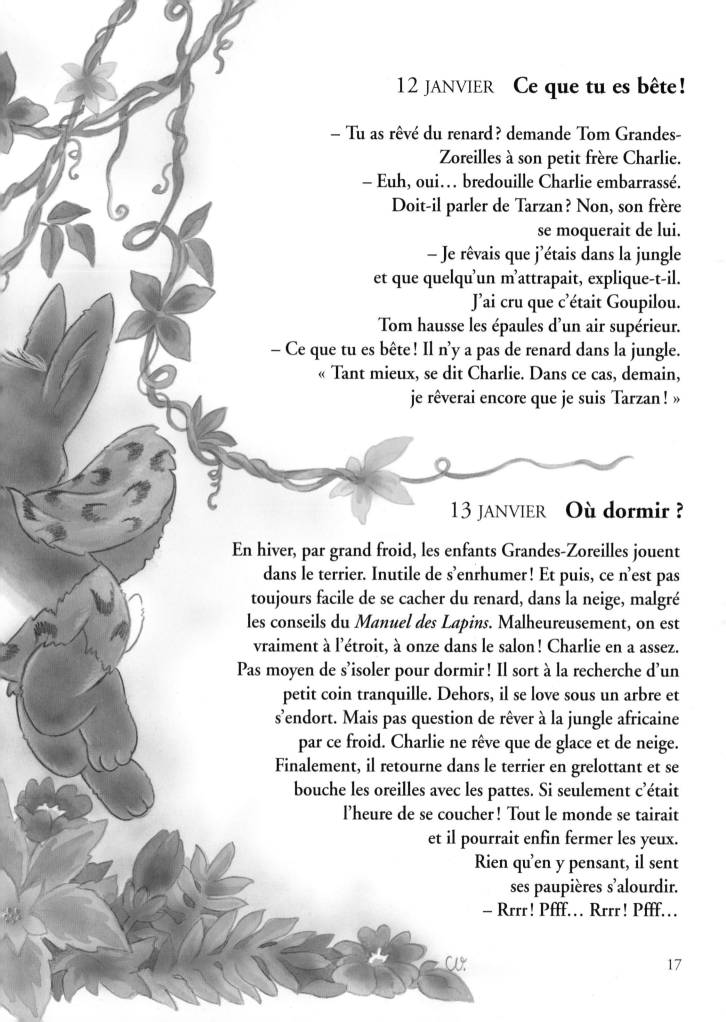

12 JANVIER   **Ce que tu es bête !**

– Tu as rêvé du renard ? demande Tom Grandes-
Zoreilles à son petit frère Charlie.
– Euh, oui… bredouille Charlie embarrassé.
Doit-il parler de Tarzan ? Non, son frère
se moquerait de lui.
– Je rêvais que j'étais dans la jungle
et que quelqu'un m'attrapait, explique-t-il.
J'ai cru que c'était Goupilou.
Tom hausse les épaules d'un air supérieur.
– Ce que tu es bête ! Il n'y a pas de renard dans la jungle.
« Tant mieux, se dit Charlie. Dans ce cas, demain,
je rêverai encore que je suis Tarzan ! »

13 JANVIER   **Où dormir ?**

En hiver, par grand froid, les enfants Grandes-Zoreilles jouent
dans le terrier. Inutile de s'enrhumer ! Et puis, ce n'est pas
toujours facile de se cacher du renard, dans la neige, malgré
les conseils du *Manuel des Lapins*. Malheureusement, on est
vraiment à l'étroit, à onze dans le salon ! Charlie en a assez.
Pas moyen de s'isoler pour dormir ! Il sort à la recherche d'un
petit coin tranquille. Dehors, il se love sous un arbre et
s'endort. Mais pas question de rêver à la jungle africaine
par ce froid. Charlie ne rêve que de glace et de neige.
Finalement, il retourne dans le terrier en grelottant et se
bouche les oreilles avec les pattes. Si seulement c'était
l'heure de se coucher ! Tout le monde se tairait
et il pourrait enfin fermer les yeux.
Rien qu'en y pensant, il sent
ses paupières s'alourdir.
– Rrrr ! Pfff… Rrrr ! Pfff…

14 JANVIER Un lapin musicien

Bibi Grandes-Zoreilles adore la musique,
surtout la guitare et les percussions.
Plus la musique est forte et plus il aime ça.
Il s'est fabriqué une batterie avec des morceaux
de troncs creux et tape dessus avec deux
baguettes de noisetier.
– Pan, pan, pan ! Oh ! Yé… Yé, yé !
chante-t-il en tapant le rythme
sur sa grosse caisse.
Et pour avoir l'air encore plus vrai,
il ébouriffe ses cheveux comme les chanteurs
de rock et se dandine en cadence.
– Oh ! Yé… Yé, yé !
Papa et Maman Grandes-Zoreilles
commencent à en avoir assez
d'entendre ce bruit assourdissant
toute la journée.
– Il faut que cela cesse une bonne fois
pour toutes ! déclare Papa Grandes-
Zoreilles. Sinon, ce vacarme va nous
rendre complètement sourds !
Il se lève de sa chaise et se dirige vers Bibi.
– Arrête tout de suite, Bibi, ordonne-t-il d'un
ton sévère. Et va jouer dehors. Ta mère et moi
aimerions bien un peu de silence pour changer.

15 JANVIER **La batterie de glace**

Bibi Grandes-Zoreilles sort, de très mauvaise humeur.
– Ce n'est pas juste ! Papa et Maman ne sont pas gentils,
ronchonne-t-il en donnant des coups de baguette dans les buissons.
Pourquoi n'aurais-je pas le droit de jouer avec ma batterie ?
Plink ! Soudain, sa baguette heurte une branche recouverte de glace.
Bibi s'immobilise, fasciné. Quel joli son ! Il regarde aussitôt s'il voit d'autres
glaçons. Génial ! En voilà toute une rangée, comme un xylophone !
Après quelques minutes d'exercices, Bibi apprend à jouer
un joli petit air sur la glace.
– Super cool ! C'est encore mieux que la batterie ! s'écrie-t-il.

19

16 JANVIER **Gus**

Papa et Maman sont fiers de leurs onze enfants,
avec leurs jolis petits nez ronds, leurs courtes
queues douces et leurs grandes oreilles
toutes droites. Enfin, toutes droites, sauf deux…
Celles de Gus, en effet, retombent
pitoyablement de chaque côté de son visage.
Gus a un petit défaut dans les oreilles, alors elles
ne tiennent pas toutes seules. Il n'y peut rien.
Comme si cela ne suffisait pas,
il est toujours enrhumé. Pauvre Gus !
En hiver, il est toujours le premier à attraper
la grippe et quand les enfants Grandes-Zoreilles
s'amusent à se courir après, il trébuche
toujours sur les branches qui jonchent le sol.
– Je me fais tellement de souci pour
mon petit Gus ! dit souvent
Maman Grandes-Zoreilles, bien ennuyée.

17 JANVIER **Je gèle !**

Il a neigé toute la journée sur le Bois Profond et les
flocons continuent à tomber en tourbillonnant dans
l'air froid. Les enfants Grandes-Zoreilles s'ennuient
dans leur terrier bien chaud. C'est dur d'être sage !
Alors ils décident de sortir quand même.
Mais une fois dehors, Margot frissonne.
– Brrr, s'écrie-t-elle. Je gèle ! Restez si vous voulez. Moi, je rentre !
– Attends ! réplique son frère Jeannot. Je connais un truc
pour avoir chaud. Si tu sautes sans t'arrêter pendant
plusieurs minutes, tu vas voir, tu n'auras plus froid du tout !
Et il bondit pour lui montrer. Il bondit, bondit…
Attention, Jeannot ! Il y a un trou… Trop tard !
Patatras ! Voilà Jeannot qui disparaît sous la neige.
– Ouh ! C'est glacé ! s'écrie-t-il en remontant du trou
à quatre pattes le plus vite qu'il peut.
Et il court comme une fusée pour rentrer à la maison,
si vite qu'il arrive avant Margot.

18 JANVIER **Un cœur d'or**

– Quelle gadoue ! s'exclame Maman Grandes-Zoreilles d'un ton dégoûté.
Il va falloir tout nettoyer !
Que voulez-vous ! Onze enfants tout couverts de neige, cela fait des
dégâts dans une maison ! Il y a des flaques de neige fondue partout dans
le terrier. Maman va chercher une serpillière dans la cuisine.
– Attends, Maman ! Je vais t'aider ! dit Zoé, la fille aînée.
Zoé a plein de taches de rousseur sur la figure. Ses frères et sœurs
la taquinent souvent à cause de ça. Mais Maman Grandes-Zoreilles
la console en lui disant qu'elle a un cœur d'or !

19 JANVIER **La grippe**

À cette époque de l'année, la famille Grandes-Zoreilles n'échappe
jamais à la grippe. Comme toujours, bien sûr, cela commence
par ce pauvre Gus. Ses oreilles tombent encore plus que
d'habitude sur les côtés de son visage et son petit nez devient
tout rouge. Il éternue et éternue encore. Bientôt, c'est le tour de
Riri, de Roberta, de Margot, de Bibi, de Jeannot et des jumeaux.
Papa et Maman Grandes-Zoreilles sont débordés avec tous
ces enfants malades. Heureusement, Zoé les aide. Elle prend les températures,
remplit les bouillottes et lit des histoires aux plus petits.
– Je suis sûre que Zoé sera infirmière quand elle sera grande, dit Maman Grandes-
Zoreilles avec fierté. Zoé a tellement de qualités !

20 JANVIER **Où est le thermomètre ?**

Aujourd'hui, le terrier des Grandes-Zoreilles est sens dessus dessous. C'est incroyable,
mais le thermomètre a disparu. Quel malheur ! Dix petits lapins sont au lit avec de la
fièvre. Comment va-t-on les soigner si on ne peut pas prendre leur température ?
Soudain, Zoé regarde Bibi avec attention. Les cheveux de son frère sont encore plus
ébouriffés que d'habitude… Étrange ! Zoé s'approche du lit de Bibi et écarte
les mèches emmêlées. Et que trouve-t-elle ? Le thermomètre !
– Dès que Bibi ira mieux, je l'emmène se faire couper les cheveux, déclare Maman
Grandes-Zoreilles. Cette tignasse est un véritable fourre-tout !

21 JANVIER

Ce n'est pas drôle d'être malade !

Renifler, éternuer, se
moucher tout le temps,
Tousser, respirer
bruyamment…
Ce n'est pas drôle
d'être malade !
Des cataplasmes à la moutarde,
Pour transpirer et frissonner,
Des gouttes dans les
oreilles et dans le nez,
Cela n'a rien de
folichon !
Voilà pourquoi
je suis
grognon…

22 JANVIER **Pour guérir tout à fait**

Aujourd'hui, les enfants Grandes-Zoreilles se sentent un
peu mieux. Maman est rassurée : le pire est passé !
La température des petits lapins a baissé et ils toussent
beaucoup moins. Pourtant, il faut encore qu'ils
restent au lit pendant deux ou trois jours pour
guérir tout à fait. Mais Riquet en a assez
de rester couché !

Il s'ennuie énormément, à se tourner et se retourner dans son lit…
– J'aimerais tellement m'amuser dehors dans la neige ! déclare-t-il.
Un peu de patience, Riquet ! Bientôt,
tu seras tout à fait guéri !

23 JANVIER

Vous dormez, vous autres ?

À force de rester couché toute la journée, le soir, on n'a plus
du tout sommeil ! Il fait nuit depuis longtemps,
mais Riquet a les yeux grands ouverts dans son lit.
Impossible de dormir !
« Je me demande si les autres dorment, se dit-il.
Sinon, on pourrait peut-être jouer. »
Il se dresse sur un coude et chuchote :
– Hé ! Vous dormez, vous autres ?
– Non ! Et si tu ne te tais pas, tu ne
t'endormiras jamais ! répliquent ses frères
et sœurs, agacés.

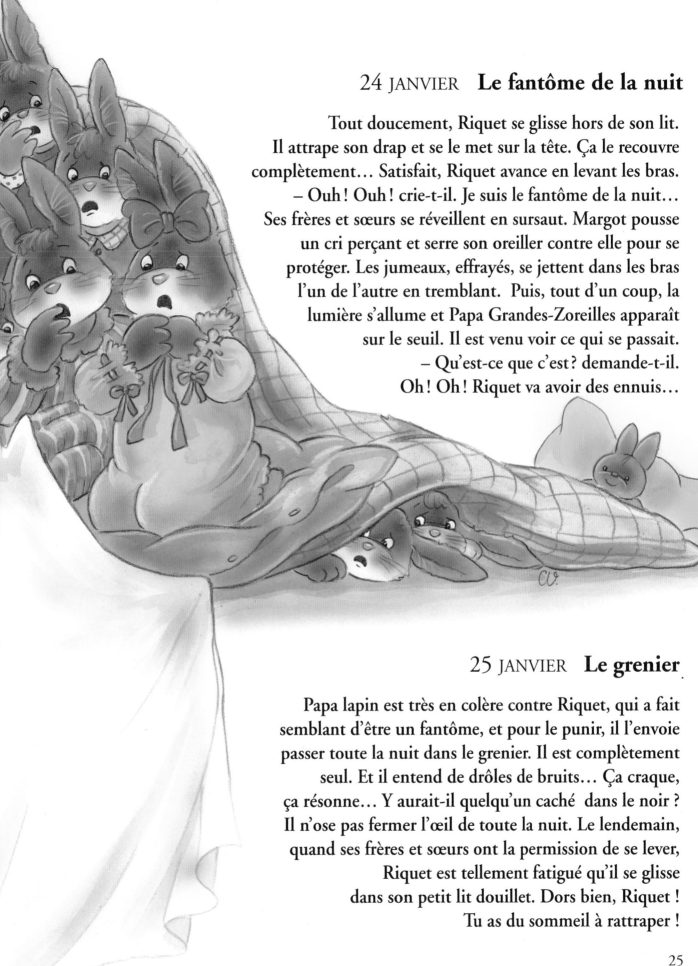

24 JANVIER   **Le fantôme de la nuit**

Tout doucement, Riquet se glisse hors de son lit.
Il attrape son drap et se le met sur la tête. Ça le recouvre
complètement… Satisfait, Riquet avance en levant les bras.
– Ouh! Ouh! crie-t-il. Je suis le fantôme de la nuit…
Ses frères et sœurs se réveillent en sursaut. Margot pousse
un cri perçant et serre son oreiller contre elle pour se
protéger. Les jumeaux, effrayés, se jettent dans les bras
l'un de l'autre en tremblant. Puis, tout d'un coup, la
lumière s'allume et Papa Grandes-Zoreilles apparaît
sur le seuil. Il est venu voir ce qui se passait.
– Qu'est-ce que c'est? demande-t-il.
Oh! Oh! Riquet va avoir des ennuis…

25 JANVIER   **Le grenier**

Papa lapin est très en colère contre Riquet, qui a fait
semblant d'être un fantôme, et pour le punir, il l'envoie
passer toute la nuit dans le grenier. Il est complètement
seul. Et il entend de drôles de bruits… Ça craque,
ça résonne… Y aurait-il quelqu'un caché dans le noir?
Il n'ose pas fermer l'œil de toute la nuit. Le lendemain,
quand ses frères et sœurs ont la permission de se lever,
Riquet est tellement fatigué qu'il se glisse
dans son petit lit douillet. Dors bien, Riquet!
Tu as du sommeil à rattraper!

26 JANVIER **La surprise**

Pendant qu'ils avaient la grippe, tous les enfants Grandes-Zoreilles ont été très sages. Ils ont pris leurs médicaments sans se plaindre et ils sont restés au lit bien tranquillement. Cela mérite une récompense, non?
C'est aussi l'avis de Papa et Maman Grandes-Zoreilles. Alors ils vont au grand magasin du Bois Profond et ils achètent une paire de patins à glace pour chacun de leurs enfants. Imaginez l'étonnement des onze petits lapins quand leurs parents rentrent à la maison! Ils veulent tous essayer leurs patins tout neufs. Quelle bonne surprise! Ils oublient tous ces longs jours d'ennui où ils ont dû rester couchés.

27 JANVIER **À la mare!**

Papa, Maman Grandes-Zoreilles et leurs onze enfants marchent à la queue leu leu sur un sentier du Bois Profond. Où vont-ils? Devinez… L'eau de la mare a gelé et brille comme un miroir. Ce sera une patinoire parfaite pour les enfants! C'est un peu loin de la maison, mais quand les petits lapins voient la glace scintiller sous le soleil, ils oublient leur fatigue.
– Qui va arriver le premier sur la glace? demande Jeannot en courant pour dépasser tout le monde.
Jeannot est le plus rapide des lapins Grandes-Zoreilles. Il court comme un champion!

28 JANVIER **Lace tes lacets…**

Arrivés au bord de la mare, les enfants Grandes-Zoreilles chaussent leurs patins. Ils attachent soigneusement leurs lacets. Naturellement, Jeannot est le premier sur la glace. Les autres le rejoignent bien vite. Mais lorsque Hip et Hop posent le pied sur la glace, ils se retrouvent sur le dos, les quatre pattes en l'air ! Leurs frères et sœurs en pleurent de rire. Savez-vous ce qui s'est passé ? Hip et Hop se sont assis tellement près l'un de l'autre, tout à l'heure, qu'ils ont attaché leurs lacets ensemble… Résultat, leurs pieds étaient liés !

29 JANVIER **Une chute**

Quel beau spectacle, tous ces petits lapins en train de patiner sur la mare gelée ! Jeannot, Tom et Roberta ont tout de suite compris comment faire. Leurs frères et sœurs ont plus de mal à garder l'équilibre. Heureusement, Papa et Maman Grandes-Zoreilles sont là pour les aider. Gus, d'habitude si maladroit, patine tout seul. Mais ses oreilles lui tombent sur les yeux et il ne voit plus où il va. Il tourne sur lui-même et tombe sur son derrière parmi les roseaux. En deux secondes, il se relève et se remet à patiner, comme si de rien n'était. Bravo, Gus !

30 JANVIER **Les froides soirées d'hiver**

En janvier, la nuit tombe très tôt sur le Bois Profond. Ce soir, le vent souffle et les flocons de neige tourbillonnent. Mais dans le terrier des Grandes-Zoreilles, il fait bon et chaud. Durant les froides soirées d'hiver comme celles-ci, Papa Grandes-Zoreilles lit le *Manuel des Lapins*. Dedans, on trouve beaucoup d'histoires très intéressantes. Notamment les aventures de Robin le Lapin, le grand héros qui vivait autrefois dans le Bois Profond. Robin échappait à tous les pièges des braconniers et jouait même des tours à Goupilou le Rouquin. Quelle audace !
Les enfants Grandes-Zoreilles veulent être aussi courageux que lui quand ils seront grands. Et ils écoutent avec attention le récit des aventures de Robin, pour devenir plus forts et plus intelligents que ce rusé de Goupilou.

31 JANVIER **Robin le Lapin**

Qui est le lapin qui ne craint
Ni piège ni renard ?
Qui déjoue tous les traquenards ?
Eh bien, c'est Robin le Lapin !

Qui rit du danger ?
Du braconnier, du chasseur, du garde forestier ?
Qui des hommes et des bêtes est le plus malin ?
C'est Robin le Lapin !

Ce soir, onze petits lapinous
Rêvent de jouer des tours à Goupilou.
Tout comme Robin le Lapin,
Eux aussi n'auront peur de rien !

1ER FÉVRIER Goupilou le Rouquin

De nombreux animaux du Bois Profond adorent se rendre à la Colline Câline.
Pourquoi? Mais parce qu'il y a toujours quelque chose à voir, avec tous ces petits
lapins! Sur la colline, on rit tous les jours! Cependant, il y a un animal, un seul,
qui ne vient pas ici pour s'amuser. Devinez qui c'est… Goupilou, bien sûr! Regardez
cet énorme renard, avec sa magnifique queue rousse et ses dents pointues. Il
aimerait bien manger du lapin tous les jours. C'est tellement tendre et délicieux!
Dès qu'il voit un petit lapin, il bondit pour l'attraper. Heureusement que
les lapins courent très vite et déjouent les ruses du renard! Leurs grandes
oreilles leur permettent d'entendre le moindre craquement de brindilles.
Et leurs nez reniflent la moindre odeur suspecte. Avant même que
Goupilou bondisse des buissons où il se cache, les lapins
ont déjà filé! Ce soir encore, Goupilou le Rouquin
va se coucher le ventre vide.
– Sacrebleu! marmonne-t-il, mécontent.
Je n'ai pas encore dîner aujourd'hui.
Foi de renard, je me rattraperai
demain! Faites bien
attention, mes
petits lapins!

2 FÉVRIER   Des lapins très courageux !

Par une belle matinée ensoleillée, Riquet, Jeannot et Roberta demandent à leur mère la permission d'aller se promener. Maman Grandes-Zoreilles hésite.

– C'est dangereux, vous savez, explique-t-elle. Tout est recouvert de neige et vous ne pourrez pas vous cacher. Que ferez-vous si Goupilou vous aperçoit ?

– Je bondirai aussi loin que possible ! réplique Jeannot d'un ton ferme.

– Moi, je lui jouerai un tour à ma façon, lance Riquet.

– Ne t'inquiète pas, Maman, déclare Roberta. Nous sommes très courageux. Moi, si j'étais Goupilou, je me tiendrais sur mes gardes !

As-tu entendu, Goupilou ?

3 FÉVRIER

Des traces dans la neige

Finalement, nos amis ont obtenu la permission de leur maman. Riquet, Jeannot et Roberta Grandes-Zoreilles bondissent sur le sentier. Le soleil brille et ils sont très contents. Ils jouent à se lancer des boules de neige, à glisser sur le dos, le long des pentes, et à se poursuivre en riant. Bref, ils s'amusent tellement bien qu'ils laissent des traces énormes derrière eux, dans la neige fraîche. Mais ils ne s'en aperçoivent même pas !

Pourtant, tout le monde peut savoir quel chemin ont emprunté les trois petits lapins. Tout le monde… y compris Goupilou le Rouquin.

Comme ils sont imprudents !

4 FÉVRIER Que faire ?

Les trois petits lapins sont déjà loin
du terrier quand, tout à coup,
Roberta s'arrête net.
Elle a senti l'odeur du renard.
Que faire, à présent ? Ils sont trop petits pour
se battre avec Goupilou !
Heureusement, Riquet a une idée.
– Rentrons à reculons, par le même chemin
que nous avons pris à l'aller, dit-il.
Comme ça, nos traces indiqueront la direction opposée.
Riquet a sauvé ses frère et sœur des griffes du renard !

33

5 FÉVRIER **L'anniversaire**

Aujourd'hui, c'est l'anniversaire de Gus.
Son papa a accroché des guirlandes de papier crépon
dans le salon. C'est beau! Gus est très content.
On dirait même que ses oreilles se redressent!
C'est génial, non, de fêter son anniversaire?
Surtout que, dans la famille Grandes-Zoreilles,
on a le droit de choisir son plat préféré ce jour-là.
Gus rêve de bouillie d'avoine à la carotte avec
des gâteaux au miel. Il va enfin pouvoir
en manger autant qu'il veut!

6 FÉVRIER **Un vrai problème**

Maman Grandes-Zoreilles, l'air préoccupé,
entraîne son mari dans la cuisine.
– Qu'est-ce qui ne va pas? lui demande Papa.
– Gus veut de la bouillie d'avoine à la carotte.
Mais il ne nous reste plus une seule carotte!
Je ne vais pas pouvoir lui faire ce qu'il demande
et ça me rend vraiment triste. Pauvre Gus!
– En effet, c'est un problème, réplique Papa.
Impossible d'acheter la moindre carotte en hiver.
Qu'allons-nous faire?

7 FÉVRIER **Juste assez...**

Par le plus grand des hasards, Zoé passait à ce moment-là devant la porte de la cuisine. Elle a entendu ce que disait ses parents : il n'y a plus de carottes pour l'anniversaire de Gus !
« Mais c'est affreux ! se dit Zoé. Pauvre petit Gus ! »
Zoé réfléchit longuement. Et si elle trouvait quelque chose de bon, qui ferait tout autant plaisir à son frère ?
Zoé fouille la cave de fond en comble. Enfin, elle trouve une grosse carotte qui a dû tomber de l'étagère. Cela suffira pour mélanger à un bol de bouillie d'avoine !
Merci, Zoé !
Tu as résolu le problème !

8 FÉVRIER

Une vraie gâterie

Maman Grandes-Zoreilles met la table pour le dîner d'anniversaire. Ensuite, elle apporte deux plats : un grand avec de la bouillie de flocons d'avoine normale, et un petit avec de la bouillie à la carotte !
Avant de servir la bouillie, Papa Grandes-Zoreilles place le petit plat devant Gus.
– C'est pour toi, mon garçon. Joyeux anniversaire !
Gus écarquille les yeux de surprise. Tout ça, rien que pour lui ?
En voilà une vraie gâterie pour son anniversaire !

9 FÉVRIER **Tom le lecteur**

Toute la journée, Tom reste assis.
Quel que soit le temps, il lit…
Regardez ses yeux, derrière ses lunettes !
Ils ne bougent que pour suivre les lettres.
Quand le soleil est parti se coucher
Tom lit au clair de lune. Quel entêté !
Il lit, louche, et lit encore.
Voyons, Tom ! La nuit, on dort !
Mais au fait, que lit-il ?
Tous les livres, même très difficiles !
Sauf le *Manuel des Lapins*
Qui est réservé aux papas lapins.

10 FÉVRIER **Où est mon livre?**

– Tu n'as pas vu mon livre, par hasard?
demande Tom Grandes-Zoreilles à son frère Riquet.
– Non. Pourquoi le cherches-tu? répond Riquet.
– Pour le lire, évidemment! s'exclame Tom, exaspéré. Comment
lire sans livre? Riquet voudrait bien l'aider. Mais ils ont beau
fouiller le terrier, ils n'arrivent pas à retrouver le livre de Tom.
Tom a l'air de plus en plus malheureux.
Soudain, Riquet pense à quelque chose…
– Tu n'as qu'à lire le *Manuel des Lapins*! dit-il.
– Mais voyons, Papa ne veut pas qu'on y touche!
réplique Tom, choqué.
– Oh, pour une fois, tu n'as qu'à le prendre! De toute
façon, Papa n'est pas là, et moi, je ne dirai rien.
Oh! Oh! Je crois bien que Tom va faire une bêtise!

11 FÉVRIER **Pris en faute**

Les enfants Grandes-Zoreilles n'ont pas le
droit de lire le *Manuel des Lapins*.
Mais Tom l'a fait quand même… Il a pris
le livre et l'a lu pendant que son père était
absent. Puis il l'a remis en place dès que
Papa Grandes-Zoreilles est rentré
à la maison. « Comme cela, se dit-il,
Papa ne remarquera rien du tout! »
Pourtant, le soir, Papa Grandes-Zoreilles
appelle Tom dans le salon.
– Tom, as-tu lu le *Manuel
des Lapins*?
Papa aurait-il découvert la vérité?
À cet instant, Papa ouvre le livre.
Devinez ce qui est coincé entre
deux pages? Les lunettes de Tom…
Et voilà! Tom s'est fait prendre!

12 FÉVRIER   **Zoé**

Zoé se regarde dans le miroir, toute triste.
« Ce que c'est vilain, toutes ces taches de rousseur ! se dit-elle.
Si seulement j'avais un joli teint bien blanc ou tout marron,
comme mes sœurs. »
Elle soupire, puis elle se lève et prend le miroir.
« Je vais le cacher quelque part, se dit-elle. Comme ça,
je ne me verrai plus jamais ! »
Voyons, Zoé, ce n'est pas une solution !

13 FÉVRIER   **Laide, Zoé ?**

– Hé, Zoé ! Où vas-tu avec ce miroir ? demande Tom
Grandes-Zoreilles, en voyant passer sa sœur.
Zoé s'arrête et baisse la tête. Elle a l'air vraiment
malheureuse.
– Je suis bien trop laide pour avoir un miroir,
répond-elle. Alors je vais le cacher quelque part.
Tom écarquille les yeux de surprise. Zoé n'est pas
laide du tout !
– Que veux-tu dire par « laide », Zoé ?
demande-t-il.
– Je ne veux plus voir ces horribles taches
de rousseur sur mon visage !
Tom ne comprend pas. Lui, il trouve
ces taches très jolies.
Et Zoé a tellement
de charme !

14 FÉVRIER **Catastrophe!**

« C'est bien d'une fille, ça! se dit Tom.
Zoé se croit laide parce qu'elle a des taches de
rousseur! » Il décide de lui remonter le moral.
– Allons nous promener tous les deux, dit-il.
Ils sortent dans le bois enneigé. Mais ils sont
tellement occupés à parler qu'ils ne font pas
attention à ce qui se passe autour d'eux.
Soudain, Goupilou bondit devant eux.
Cette fois, c'est la catastrophe!

15 FÉVRIER **La maladie**

Voilà Zoé et Tom face à face avec Goupilou
qui se lèche déjà les babines.
– Fais attention, Goupilou, déclare Tom.
Si tu nous manges, tu le regretteras. Ma
sœur et moi sommes atteints d'une grave
maladie. Le premier symptôme, c'est d'avoir
le visage couvert de taches, comme ma sœur.
– Par tous les lapins du monde! s'exclame
Goupilou. Je ne veux pas attraper cette
maladie! Et il ferme les yeux d'un air
dégoûté. Quand il les ouvre de
nouveau, Tom et Zoé sont déjà
loin. Tom a été plus malin
que Goupilou!

16 FÉVRIER   **Le grenier**

Le terrier des Grandes-Zoreilles est
vraiment immense. Il y a des
douzaines de galeries souterraines,
qui mènent à des pièces différentes.
Un vrai labyrinthe ! La cuisine se trouve
près de l'entrée. Plus loin il y a
les chambres, puis d'autres pièces comme
la cave et le grenier. Ce dernier est tout
en haut du terrier. Bien sûr, dites-vous,
c'est comme chez les humains !
Oui, mais le grenier des Grandes-Zoreilles est
sous terre, voyez-vous… C'est amusant, n'est-ce pas ?
Un grenier souterrain !

40

17 FÉVRIER **L'atelier**

Papa Grandes-Zoreilles a fabriqué tout le mobilier de la maison : les tables, les chaises, les armoires, et même les lits. Il a fait quelques erreurs en fabriquant les trois premiers lits. Mais les quatrième, cinquième, sixième, septième, huitième et neuvième lits, il les a construits en un rien de temps. Quand il est arrivé au dixième lit, Papa lapin a commencé à bâiller. Au onzième, il a fait une petite pause. Ça en fait des lits, tout ça ! Papa termine un douzième lit, puis il s'assied et s'étire longuement. Voilà un atelier qui a bien servi !

18 FÉVRIER

Le menuisier

Pling ! Plang ! Fait le marteau
En frappant le clou sur son dos.
Zzzz ! Fait la scie tout l'après-midi
Pour couper les planches et en faire des lits.
Mais qui est ce menuisier,
Qui travaille dans l'atelier ?
Il a fait onze lits pour ses enfants
Plus un grand,
Et tout ça en s'amusant !
Papa lapin a vraiment du talent.

19 FÉVRIER **J'ai les pieds gelés !**

– Youpi ! J'adore l'hiver !
crie Jeannot.
– Tu as de la chance, répond
Charlie en ronchonnant. Toi,
tu es très doué pour sauter. Mais
moi, j'ai froid aux pieds.
– Fais comme moi, c'est facile ! dit Jeannot.
Regarde !
Jeannot bondit très haut, plusieurs fois de suite,
ce qui fait voler la neige dans tous les sens.
Brrr ! Charlie se secoue. Non, décidément, tout cela
est beaucoup trop froid pour lui. Il a les pieds gelés !
« Si seulement je ne m'enfonçais pas toujours dans la neige !
se dit-il. Il faut trouver une solution. »
Il réfléchit quelques instants.
Et s'il s'attachait des planches de bois sous les pieds ?

20 FÉVRIER Ça glisse !

Charlie file chercher deux petites planches et les attache à ses pieds avec des ficelles. Génial ! Il n'a plus froid aux pieds ! Jeannot reste bouche bée de surprise. Qu'est-ce que son frère a encore inventé ? Voilà Charlie qui s'avance… Mais les planches glissent sur la neige, vite, de plus en plus vite. Charlie file comme le vent et descend à toute allure la pente de la Colline Câline !
– Où vas-tu comme ça, Charlie ? crie Jeannot, surpris.
Charlie n'a pas le temps de répondre. Ploc ! Le voilà qui plonge dans un tas de neige. Tu n'avais donc pas de freins, Charlie ?

21 FÉVRIER Les skis

« Jamais plus je ne m'attacherai des planches sous les pieds, se dit Charlie, furieux. C'est bien trop glissant, sur la neige ! » Il enlève les planches et veut les jeter au loin. Mais Jeannot l'arrête.
– Ne fais pas ça, Charlie ! Donne-les moi. Ce sont les meilleurs skis que j'ai jamais vus.
– Prends-les si tu veux !
Une chute dans la neige m'a suffi. Jeannot chausse les skis et file, tout content. Il s'amuse comme un fou tout l'après-midi pendant que Charlie reste assis bien au chaud près du poêle. On est si bien dans le terrier bien douillet !

22 FÉVRIER **Quel gâchis !**

Maman Grandes-Zoreilles hoche tristement la tête en examinant le seau
qu'elle vient de sortir de la cave. Il est rempli de pommes de terre.
Certaines sont encore bonnes, mais il y en a beaucoup
qui sont déjà toutes ratatinées.
– Quel gâchis ! s'exclame Madame Grandes-Zoreilles.
Il va falloir que je jette la moitié de ces pommes de terre.
– Ne les jette pas, chérie ! dit Papa Grandes-Zoreilles.
Si elles ne sont plus bonnes à manger, ces pommes
de terre peuvent encore servir
à quelque chose.

23 FÉVRIER **De très jolies formes**

Maman Grandes-Zoreilles et ses onze
enfants regardent Papa avec étonnement. Que veut-il
faire avec ces vieilles pommes de terre ? Papa sort son
canif de sa poche et coupe l'une des pommes de terre en
deux. Sur le côté plat, il sculpte une silhouette.
– Allez chercher vos boîtes de peinture, les
enfants ! Et aussi une feuille de papier.
Les petits lapins obéissent. Quand ils reviennent,
Papa colore la forme qu'il a sculptée
avec de la peinture rouge. Ensuite,
il presse la pomme de terre sur le papier.
Quand il la retire, il y a une jolie
silhouette de lapin
sur la feuille.
– C'est magique !
s'écrient les enfants.

24 FÉVRIER **Des pommes de terre-tampons**

Papa sculpte toutes sortes de formes sur les vieilles pommes de terre coupées en deux. Il fait des triangles, des cercles, des silhouettes de sapin et beaucoup d'autres choses. Quelle imagination ! Puis il dit aux enfants :
– Maintenant, à vous ! Faites de jolies peintures !
Les petits Grandes-Zoreilles se mettent tout de suite au travail. Ils impriment des petits cœurs rouges et des étoiles jaunes. Ensuite, ils font un rectangle bleu avec un triangle rouge au-dessus. C'est une maison ! Ils passent un après-midi extraordinaire. « Papa a eu une idée géniale ! » se disent tous les enfants, ainsi que Maman Grandes-Zoreilles. Toutes ces peintures grâce à de vieilles pommes de terre ! Personne d'autre n'aurait pu inventer ça !

25 FÉVRIER **Margot a disparu**

Il a neigé toute la journée sur la Colline Câline.
– Où est Margot? demande Madame Grandes-Zoreilles.
D'habitude, elle rentre au premier flocon de neige.
Personne ne sait où est passée la petite lapine.
– Roberta, Riquet et Jeannot, vous allez explorer
le bois, ordonne Tom. Hip, Hop et Gus, partez dans
la clairière. Charlie et moi, nous allons fouiller
la Colline Câline.
– Et moi? demande Bibi.
– Toi! répond Tom. Tu n'y verrais rien, de toute
façon, avec tes cheveux qui te tombent sur les yeux!
« Ils sont vraiment injustes! se dit Bibi,
très vexé. Peut-être sont-ils jaloux
de mes beaux cheveux épais? »

26 FÉVRIER Idiot de miroir !

Bibi Grandes-Zoreilles n'est pas content. Ses frères et sœurs le taquinent toujours sur ses cheveux trop longs. Il en a assez de leurs plaisanteries.
– Hé ! Bibi ! As-tu perdu ton peigne ? disent-ils.
Ou bien :
– Es-tu de dos ou de face, Je ne vois pas ton visage !
« Suis-je vraiment si vilain ? » se demande Bibi à haute voix. Pour le savoir, il va jusqu'à la mare. L'eau est complètement gelée et brille au soleil comme un miroir. Bibi se penche pour voir son reflet sur la glace et aperçoit la masse de ses cheveux ébouriffés.
Que c'est laid !
– Idiot de miroir ! grogne-t-il, furieux.

27 FÉVRIER Quelle coquette !

Bibi lève la patte pour donner un grand coup de pied dans la glace. Comme ça, il ne verra plus son vilain reflet !
– Arrête ! crie Margot.
Ne touche pas à ce miroir !
Bibi se retourne, stupéfait.
Que fait Margot ici ?
Elle aussi est venue se regarder dans la mare gelée…
Elle est tellement coquette qu'elle veut s'admirer dans le plus grand miroir que le Bois Profond puisse lui offrir.

28 FÉVRIER

Gros bêta !

Il commence à faire moins froid dans le Bois
Profond. La neige fond lentement et de grosses gouttes
d'eau tombent des arbres en s'écrasant sur le sol.
De grosses larmes tombent des yeux de Charlie.
Charlie se sent triste. Il croit que le Bois Profond pleure.
– Gros bêta ! rit Zoé. Les arbres ne pleurent pas !
En fait, je crois qu'ils sont très contents de voir l'hiver
se terminer.

29 FÉVRIER Les larmes

Est-ce de chagrin que tu pleures,
Petit lapin de mon cœur ?
Ou bien pleures-tu de rire,
À force de vouloir me dire :
« Arrête ! Je suffoque,
Ton histoire est loufoque ! »
Que j'aime te voir content,
Mon cher enfant.
Si tu pleures ainsi,
Ce sont des larmes
De paradis !

1ᴱᴿ MARS — Des histoires extraordinaires

Papa Grandes-Zoreilles vient de lire le récit d'une
aventure de Robin le Lapin et les enfants
sont encore tout rêveurs. Quelle vie sensationnelle !
Il est vrai qu'il y a très très longtemps, le Bois Profond
était plein de dangers, bien plus grands encore
qu'aujourd'hui… Mais Robin était très courageux
et n'avait peur de rien ni de personne.
Quand Papa Grandes-Zoreilles raconte un épisode de
la vie de leur héros, tous les petits lapins se taisent.
Pas question de perdre une miette d'une histoire
aussi passionnante ! Même Charlie, qui d'habitude
gigote toujours pour trouver un coin confortable,
reste sage comme une image.
Les aventures de Robin le Lapin sont
extraordinaires. Et en plus, ce sont
toutes des histoires vraies !

2 MARS — Un héros

Robin le Lapin est le héros des enfants
Grandes-Zoreilles. Jadis, il se promenait dans
la forêt, armé de son lance-pierre, de son arc
et de ses flèches. Robin était toujours de bonne
humeur. Juste et bon, il savait braver tous les
dangers et ne craignait même pas le renard !
Quel courage !
Sur son dos, il portait un sac dans lequel
il y avait toutes sortes de choses : de la ficelle,
un canif, des baies et plein d'autres objets.
En somme, tout ce qui pouvait lui être
utile s'il rencontrait un lapin pris
dans un piège ou s'il était obligé
de se cacher…. Robin
pensait vraiment à tout !

3 MARS Comme Robin le Lapin !

Riquet Grandes-Zoreilles essaie de se glisser hors du terrier familial sans se faire remarquer. Tiens ! Qu'emmène-t-il sous son bras ? Maman Grandes-Zoreilles fronce les sourcils.
– Qu'est-ce que c'est que ça, Riquet ? demande-t-elle.
Le petit lapin s'arrête aussitôt. Il devient cramoisi.
– Euh, rien du tout ! répond-il en bégayant.
Enfin, c'est juste un sac.
Ne serait-ce pas le sac à provisions
que Riquet cache sous son bras ?
Rends-moi immédiatement
ce sac à provisions.
Riquet obéit en
grommelant.
– Maintenant, je
n'ai plus rien pour
mettre mes affaires,
dit-il. Comment
vais-je pouvoir
imiter Robin
le Lapin ?

4 MARS La vaisselle

– Roberta ! dit Maman.
C'est ton tour de faire la
vaisselle. Roberta traîne des pieds
pour se rendre à la cuisine. Elle n'a
aucune envie de faire la vaisselle !
Au bout d'un quart d'heure, quand
Maman lapin vient voir où elle en est, elle
n'a lavé que cinq assiettes. Il en reste encore
huit ! « Pourquoi ne se dépêche-t-elle pas ?
se dit Maman. Elle ferait mieux de terminer
pour aller jouer ! » On dirait que Roberta
n'a pas pensé à ça !

5 MARS   **Le ménage**

Zoé Grandes-Zoreilles entre dans la cuisine. Et que voit-elle ? Sa sœur Roberta n'a toujours pas fini la vaisselle !
– Je déteste faire la vaisselle ! déclare Roberta.
– Je te comprends, répond Zoé. Ce n'est pas très amusant. Mais quand tu seras grande, il faudra bien que tu t'occupes de ta maison.
– Moi, quand je serai grande, je veux réaliser des tas d'exploits, comme Robin le Lapin réplique Roberta. Et en attendant, elle regarde une grosse bulle nacrée qui vole au-dessus de l'évier.

6 MARS   **Un destin de fille**

La cuisine, le ménage, la vaisselle,
Faire les lits et se faire belle…
– Non ! dit Roberta. Ce n'est pas pour moi !
Je préfère courir dans les bois,
Sauter, jouer, combattre mes ennemis,
et parcourir des forêts aussi sombres que la nuit.
Ça, oui ! dit Roberta. Ça me convient.
Vivre comme Robin le Lapin,
Voilà comment je vois mon destin !

7 MARS Pièges et collets

Le Bois Profond est un endroit très sauvage. On y voit peu d'êtres humains, car les grandes villes sont bien loin de là. Il y a quelques fermes dans les environs, mais les fermiers ont trop de travail pour se promener dans les bois. Pourtant, il faut que les lapins soient très prudents. Parfois, à la tombée de la nuit, de grandes ombres se glissent entre les arbres. Ce sont les braconniers, qui viennent cacher des pièges pour attraper les animaux de la forêt. Si un lapin tombe dans un de ces nœuds coulants, alors il n'a plus aucun espoir de s'en sortir. Il reste prisonnier jusqu'à ce que les braconniers arrivent et l'emmènent. Lapins, surtout, faites bien attention !

8 MARS L'odeur des humains

Tom Grandes-Zoreilles bondit de-ci, de-là dans le bois. « Quelle belle journée ! se dit-il. Idéale pour une bonne course dans la forêt. »
Hier, des hommes sont venus dans le bois. Ils portaient de grandes bottes et ils avaient même des fusils. Papa Grandes-Zoreilles a prévenu ses enfants :
– Ces hommes sont des braconniers. Ils placent des pièges partout dans les buissons. Surtout, reniflez bien d'où vient le vent. S'il sent l'être humain, vous pouvez être certain qu'il y a un piège tout près de là.

9 MARS   Piégée !

Tom Grandes-Zoreilles traverse le Bois
Profond quand il entend un gémissement.
Il s'approche prudemment puis s'arrête,
stupéfait. Sa petite cousine Rose est là,
la patte prise dans un gros nœud coulant !
– Pauvre petite Rose ! s'exclame Tom.
Comment te délivrer ?

10 MARS   Un bisou

Rose pleure à gros sanglots. Elle a eu
tellement peur ! Quelle chance que Tom
soit passé par là ! Tom cherche un moyen
de libérer sa cousine. Il réfléchit, réfléchit…
Le piège est en fil métallique. Impossible
de le couper avec les dents. Cependant, il
remarque que les braconniers ont attaché
leur engin à une petite branche.
– J'ai trouvé ! s'écrie Tom. La branche,
elle, je peux la couper avec mes dents !
Sitôt dit, sitôt fait. Les deux petits lapins
bondissent bien loin du fourré, malgré
le collet qui serre encore la patte de Rose.
À la maison, avec l'aide des autres lapins,
Rose est bientôt libérée. Pour le remercier,
elle fait un gros bisou à Tom.
– Tu es aussi intelligent que Robin
le Lapin ! déclare-t-elle.
Tom devient tout rouge…

11 MARS Cauchemars

Ce vieux filou de Goupilou
A d'affreux cauchemars.
Comme c'est bizarre !
Rêve-t-il d'un mauvais coup ?
Ou qu'il devient fou ?
Il grogne, il crie, fait le gros dos.
Devinez ce qu'il craint ?
Il rêve que Robin le Lapin
Vient lui mordre le museau !

12 MARS Le héros

Goupilou le Rouquin marche dans le bois,
épuisé. Toute la nuit, il a rêvé que Robin le Lapin
ne cessait de le poursuivre. Eh oui ! Même les renards
ont peur de notre héros ! Robin était si grand, si fort
et si intelligent que le plus rusé des renards n'a jamais
pu l'attraper.

13 MARS **Au secours !**

« Je vais aller boire un peu d'eau, se dit Goupilou
le Rouquin. Ça me fera du bien. » Le renard
marche d'un pas lourd jusqu'à la mare et se met à
laper l'eau claire. Soudain, il entend un bruit
derrière lui. Goupilou frémit. Cela ressemble
tellement à son rêve ! Il se retourne. Quelle
horreur ! Un lapin géant se dresse devant lui.
Et il est au moins deux fois plus grand
qu'un lapin ordinaire !
– Au secours ! crie Goupilou
en s'enfuyant.
C'est Robin le Lapin !

14 MARS **Un beau déguisement**

Hip et Hop n'ont jamais autant ri. Tout à l'heure
pour s'amuser Hop a grimpé sur les épaules de son
frère. Ensuite, ils se sont enroulés dans une grande
couverture. Un vieux chapeau sur la tête, ils ont
décidé d'aller se regarder dans la mare. Mais
Goupilou s'y trouvait. Et il a eu la peur de sa vie.
– Il a vraiment cru que nous étions Robin le
Lapin ! s'exclame Hop en riant.
Pas très malin, finalement,
ce Goupilou !

15 MARS **Un vagabond**

– Je ne comprends pas pourquoi Robin le Lapin vous plaît tant, déclare Margot à ses frères et sœurs. Après tout, c'était un bandit de grand chemin. Et je parie qu'il ne se lavait jamais !
– C'était le plus courageux de tous les lapins du monde ! dit Riquet. J'aimerais bien être aussi fort et intelligent.
– Et moi, j'aimerais être aussi doué, dit Gus.
– Un lapin comme lui, je l'épouserais sans hésiter, déclare Roberta. Et pourtant, je n'ai guère envie de me marier !
– Ce vagabond malpropre ? s'écrie Margot. Tu n'es guère difficile ! Moi, je n'en voudrais pas. Hum, hum ! Es-tu vraiment sincère, Margot ?

16 MARS

Amoureuse

Le jour, Margot Grandes-Zoreilles prétend que Robin le Lapin n'était qu'un bandit grossier et malpropre. Mais la nuit, c'est une autre histoire ! Elle rêve qu'elle a la patte prise dans un collet ou bien que Goupilou va l'attaquer, ou encore que de méchants braconniers vont l'emmener. Et à chaque fois, qui vient la délivrer ? Robin le Lapin, bien sûr ! Et si Margot était secrètement amoureuse de Robin ?

17 MARS   Un preux chevalier

Il est aussi grand et fort
Qu'un lion, même quand il dort…
Dans les rêves de Margot,
Robin le Lapin est un vrai héros !
Il est si beau, ce preux chevalier
Si plein d'humour, si dévoué…
Margot soupire, rêveuse.
Elle est amoureuse !
Mais c'est un grand secret.
Personne ne le sait !
Le jour, elle dit : « C'est un bandit ! »
Et la nuit : « Je voudrais tant qu'il soit
mon mari ! »

18 MARS **Les voleurs volants**

Papa Grandes-Zoreilles ouvre le *Manuel des Lapins*.

Il va lire le récit d'une des aventures de Robin le Lapin. Il y a très longtemps, des voleurs volants attaquaient sans cesse les animaux du Bois Profond. C'étaient des rats qui grimpaient sur le dos des corbeaux, et qui volaient ainsi dans le ciel. Ils pillaient toute la nourriture des autres animaux qui n'avaient plus rien à manger ! Un jour, affamés, tous les animaux du Bois Profond demandèrent à Robin de les aider.

Alors, Robin le Lapin grimpa sur le dos du hibou, poursuivit les voleurs volants dans le ciel et les chassa hors de la forêt. Grâce à lui, plus personne n'a eu faim dans le Bois Profond.

19 MARS **As-tu perdu la tête?**

Jeannot Grandes-Zoreilles a beaucoup aimé l'histoire des voleurs volants.
Robin était vraiment très audacieux! Voler ainsi dans le ciel et en plus, lancer
des flèches sur l'ennemi, cela ne devait pas être facile!
Robin n'avait donc pas peur de tomber?
– Crois-tu que je pourrais en faire autant?
demanda-t-il à son frère Riquet.
– Quoi? Voler dans le ciel sur le dos d'un oiseau,
sans même te tenir avec les mains? répond Riquet.
As-tu perdu la tête? C'est beaucoup trop dangereux!
Mais Jeannot n'arrête
pas d'y penser.

20 MARS **Dans le ciel**

– Il faut absolument que je vole et j'y arriverai! décide
Jeannot Grandes-Zoreilles.
Quel entêté! Il demande aux pigeons et aux étourneaux
s'il peut voler sur leur dos, mais ils refusent
d'un signe de tête.
Une gentille hirondelle accepte enfin de l'aider.
Mais Jeannot est bien trop gros pour un si petit oiseau!
Et puis, les lapins ne volent pas,
sauf dans les histoires…

21 MARS Chez le coiffeur

– Venez, les enfants ! dit Papa Grandes-Zoreilles. Nous allons
tous nous faire couper les cheveux.
Arrivés devant chez le coiffeur, les enfants se mettent en rang
et Papa les compte : un lapin, deux lapins, trois, quatre, cinq…
et six, et sept, et huit, et neuf, et dix, et… Mais où est
le onzième ? Lequel des enfants manque à l'appel ?
– Où est Bibi ? demande Papa, mécontent.
Personne ne le sait. Bibi aurait-il fait exprès de ne pas venir ?
Pourtant, il a bien besoin d'une bonne coupe de cheveux !

22 MARS Caché…

Bibi a horreur d'aller chez le coiffeur. Ce dernier lui tire toujours les cheveux en essayant de les démêler ! Un jour, en se coiffant, il a oublié la brosse sur sa tête et elle y est restée, au milieu des mèches ébouriffées. C'est pourquoi le coiffeur coupe toujours les cheveux de Bibi très courts. Pour éviter d'aller chez lui, Bibi dit qu'il a mal au ventre ou à la tête. Ou alors, il se cache. C'est vous dire à quel point il a horreur de se faire couper les cheveux !

23 MARS Pêle-mêle !

Ce soir, les enfants sont assis autour de la table de la cuisine. Ils ont tous les cheveux joliment coupés. Seuls les cheveux de Bibi se dressent pêle-mêle sur sa tête. Il s'est caché toute la journée pour ne pas aller chez le coiffeur.
– Robin le Lapin n'est jamais allé chez le coiffeur non plus. Et je parie que sa mère ne l'embêtait pas avec ça ! s'exclame Bibi.

24 MARS Une partie de ballon

Ça y est! Le printemps est arrivé! Un chaud soleil brille au milieu des
nuages blancs qui moutonnent dans le ciel. Ravis, les enfants Grandes-
Zoreilles jouent devant leur terrier sur la Colline Câline. Dix
d'entre eux font un cercle et le onzième se tient au centre.
En ce moment, c'est Riquet qui se trouve au milieu. Il tient
un joli ballon rouge dans les mains. Ses frères et sœurs
doivent garder leurs pattes derrière leur dos. Quand Riquet
lance le ballon à l'un d'entre eux, ils essaient de l'attraper.
Mais quelquefois, Riquet fait semblant de le lancer…
– Attrape! dit-il en gardant le ballon dans les mains.
Si un petit lapin ouvre les bras, alors il a perdu.
Quel jeu difficile!

25 MARS Pas de chance!

Gus Grandes-Zoreilles joue au ballon, lui aussi.
Il fait partie du cercle et garde les bras repliés
derrière le dos. Maintenant, son frère Riquet
lui lance le ballon. Mais les oreilles de Gus lui
tombent devant les yeux et il ne voit rien. Pan!
Le ballon vient le cogner en plein sur le nez.
– Perdu! crient les autres. Maintenant,
c'est à toi de venir au milieu du cercle!
Gus obéit, le cœur gros.
« Je n'ai jamais eu de chance »,
se dit-il, tout malheureux.
Pauvre cher Gus!

Même Robin le Lapin…

– Allons, Gus, dit Papa Grandes-Zoreilles. Essaie de finir ce que tu as dans ton assiette, pour une fois. Gus soupire et avale encore une bouchée. Il n'a vraiment pas faim.

– Quelque chose ne va pas ? demande sa maman.

– Pourquoi suis-je si maladroit ? dit-il. Je perds toujours à tous les jeux et… et…

– Mais, mon chéri, réplique Maman en souriant, tu es très doué pour d'autres choses ! Tu dessines très bien, par exemple.

– C'est vrai, dit Gus, dont le visage s'éclaire.

– Et de plus, dit Papa, nous sommes tous maladroits, à certains moments. Même Robin le Lapin !

– Même lui ? s'écrie Gus.

– Mais oui, même lui !

Gus n'en croit pas ses oreilles. Voilà qui change tout !

27 MARS **Petit Robin**

Les enfants Grandes-Zoreilles ont inventé un nouveau jeu. Ça s'appelle « Petit Robin ».
Neuf enfants jouent le rôle de petits lapins. Un d'entre eux fait semblant d'être Goupilou
le Rouquin et un autre d'être Robin le Lapin. Le renard essaie d'attraper autant de
lapins que possible en les touchant. Ceux qui sont touchés doivent s'éloigner et rester
en prison. Robin doit toucher les lapins prisonniers pour les libérer. Charlie Grandes-
Zoreilles est le premier lapin que le renard attrape.
– Ça m'est égal, se dit Charlie. Je vais pouvoir faire un bon petit
somme en prison… Charlie ne rate jamais
une occasion de dormir !

28 MARS **Un vrai faux renard**

Charlie Grandes-Zoreilles ferme les yeux, pelotonné sur l'herbe.
Ce jeu l'a vraiment fatigué ! Au bout de deux minutes,
il s'endort et il ronfle. Pendant ce temps, les autres arrêtent de jouer.
– Hé ! Venez voir Charlie en train de ronfler ! dit Riquet.
– Si on lui faisait une farce ? suggère Jeannot.
Avec ses frères et sœurs, il rassemble de longs brins d'herbe pour
former un bouquet très épais, comme la queue d'un renard. Puis ils
passent la fausse queue sous le nez de Charlie.
– Au secours ! s'écrie Charlie en se réveillant en sursaut.
C'est Goupilou ! Il m'attaque !
Ses frères et sœurs, autour de lui, rient aux éclats. Tout d'abord,
Charlie est très en colère. Puis il se sent plutôt soulagé :
finalement, il préfère que ce ne soit pas le vrai renard !

29 MARS **L'orage**

Le vent gronde et souffle sur la Colline Câline.
Il pleut très fort et il y a de véritables bourrasques.
– Je croyais que c'était le printemps ! ronchonne
Riquet Grandes-Zoreilles.
Riquet déteste rester enfermé dans la maison.
Comment supporter cela davantage ?
Tout d'un coup, il enfile ses bottes en caoutchouc
et son imperméable, puis sort du terrier.
Une forte rafale soulève Riquet et le transporte dans
les airs. Le voilà qui vole comme un fétu de paille !
Décidément, par temps d'orage, les
petits lapins sont bien mieux chez eux !

30 MARS **Dans l'arbre**

Papa s'aperçoit que Riquet a disparu. Il se
précipite au-dehors. Soudain, il entend une
petite voix effrayée, juste au-dessus de lui
qui l'appelle.
Papa Grandes-Zoreilles lève les yeux et voit
son fils coincé dans un arbre. C'est le
vent qui l'a transporté là-haut ! Papa
lapin réussit à faire descendre
Riquet de son perchoir.
– Je ne sortirai jamais plus
quand il y a de l'orage,
promet Riquet, très
soulagé d'être revenu
sur la terre ferme.

31 MARS **Un enfant têtu**

Papa avait dit :
« Jouer dehors c'est interdit ! »
Mais l'enfant têtu
Est sorti tête nue.
Le vent se dit : « Enfin
Je vais jouer avec quelqu'un ».
Il prend le lapin par les pieds.
Le voilà bien attrapé !
Puis il pose sans effort
L'enfant dans un arbre mort.
La pluie tombait,
Le tonnerre grondait.
Papa a trouvé son garçon
Qui a retenu la leçon,
Le polisson !

1ER AVRIL   **Poisson d'avril !**

Riquet attend avec impatience le 1er avril. Le reste de l'année, on le gronde toujours s'il fait des farces aux autres enfants. Mais le 1er avril, il a enfin la permission !

« Cette année, il faut que je trouve quelque chose de spécial » ! se dit-il.

– Oh ! Riquet ! dit soudain sa sœur Zoé. Tu as un trou dans ton pantalon !

Riquet est très gêné. Comment a-t-il fait pour déchirer son pantalon ?

Il tourne en vain la tête pour essayer de voir son derrière.

– Poisson d'avril ! s'exclame Zoé en riant.

« Oh ! Non ! Quel sale tour ! » se dit Riquet. Il a complètement oublié que lui aussi voulait faire une farce à quelqu'un.

Tel est pris qui croyait prendre !

2 AVRIL   **Soleil de printemps**

– Enfin, c'est le printemps ! déclare Papa Grandes-Zoreilles, tout content, en s'asseyant au soleil.

– Oui, dit Maman Grandes-Zoreilles.
C'est le moment de faire le grand
nettoyage du terrier.

– Oh ! Non ! dit Papa. Il fait
tellement beau ! Nous ferons
le ménage plus tard.

– D'accord, dit Maman.
Mais dans ce cas,
je vais dire aux enfants
de venir aussi.

3 AVRIL   **Tous en rang**

Voilà tous les enfants Grandes-Zoreilles assis en rang,
leurs petites queues tournées vers le soleil. Maman
leur a dit que leur queue pousserait sous la chaleur du soleil.
– Tu sens que ça pousse, toi ? demande Hip à sa sœur Hop.
– Non, mais ce que j'ai chaud ! répond Hop.
Au bout d'un quart d'heure, les enfants commencent à s'agiter.
– Peut-on aller jouer, maintenant ? gémit Jeannot.
– Si vous voulez ! répond Papa Grandes-Zoreilles.
Il a à peine fini de parler que tous les petits Grandes-Zoreilles
ont détalé. Pas besoin de leur dire deux fois d'aller jouer !

4 AVRIL   **Jeannot**

Jeannot ne peut pas rester tranquille
plus de deux minutes. Au dîner, il finit
toujours son repas le premier et il s'agite
sur sa chaise.
– Veux-tu bien rester tranquille, à la fin, Jeannot !
s'exclame sa maman.
Le petit lapin lui obéit. Mais au bout de quelques
secondes, il recommence à se balancer sur sa chaise.
– Il ne reste qu'une chose à faire, dit un jour Papa.
Il va falloir l'attacher à sa chaise !
Jeannot s'arrête aussitôt. « Il faut vraiment faire attention,
maintenant, se dit-il. Je n'ai aucune envie d'être ligoté comme
un saucisson ! »

5 AVRIL — La bougeotte

Jeannot gigote toute la journée.
Le soir, au dîner, il ne peut plus s'arrêter.
Ses parents ont beau le prier et le supplier,
Il s'agite, il se trémousse. Quel entêté !
Papa dit :
– Reste tranquille, petit lapin !
Et Maman :
– Arrête. Tu n'auras plus de câlins !
Mais Jeannot a la bougeotte. Quel obstiné !
Il ne peut pas s'empêcher de bouger !

6 AVRIL — Vilains pieds !

Jeannot a été puni. Il a sauté
de sa chaise au moins dix fois
pendant le dîner.

– Va t'allonger sur ton lit, Jeannot ! dit
Papa Grandes-Zoreilles
de mauvaise humeur.
Et ne reviens que lorsque tu seras calmé.
Mais Jeannot ne descend pas
de sa chambre. Que peut-il bien faire ?
Papa lapin trouve son fils en larmes.
– Allons, allons, mon chéri, dit son papa avec
tendresse. Il ne faut pas pleurer ! Nous t'avons
grondé pour que tu te tiennes bien à table.
– Ce n'est pas de ma faute, dit Jeannot en
reniflant. Je voudrais bien rester tranquille sur ma
chaise, ce sont mes pieds qui ne veulent pas !

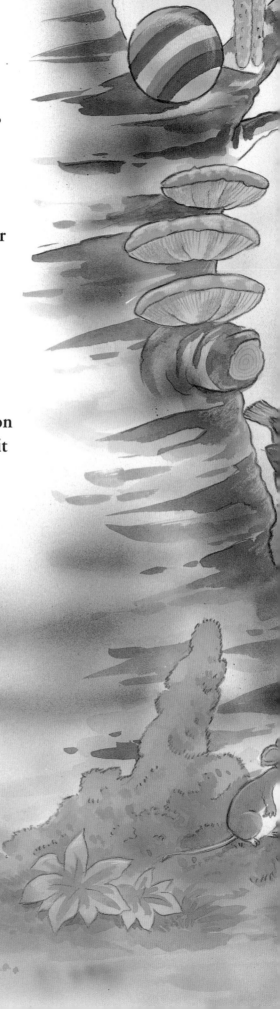

7 AVRIL **Un beau ballon**

Roberta Grandes-Zoreilles est ravie. Elle a un ballon neuf,
qui a toutes les couleurs de l'arc-en-ciel.
Il est tellement joli ! Et elle l'a pour elle toute seule !
Elle l'a échangé contre sa poupée avec sa cousine Rose.
Ce garçon manqué de Roberta n'a que faire d'une poupée
avec un petit tablier blanc ! Tandis qu'elle va bien s'amuser
avec ce ballon ! Et Rose ?
Rose est très heureuse d'avoir une poupée.
Elle préfère jouer à la maman qu'au ballon.
Voilà deux petites lapines très contentes !

8 AVRIL **C'est ennuyeux de jouer tout seul**

Toute essoufflée, Roberta Grandes-Zoreilles court après son
ballon. Mais jouer seule n'est pas aussi drôle qu'elle l'aurait
cru. Alors elle va chercher quelqu'un pour s'amuser avec
elle. Justement, Riquet et Jeannot sont en train de
se promener par là. Ils vont sûrement vouloir jouer !
Mais Riquet et Jeannot ont d'autres projets. Ils vont
à la pêche. « Pas de chance ! » se dit Roberta.
Puis elle aperçoit son frère Gus.
– Veux-tu jouer au ballon avec moi ?
– D'accord, répond Gus.
Roberta est bien contente,
même si Gus est très maladroit.
C'est trop ennuyeux de jouer tout seul !

9 AVRIL **Un match de football…**

– Va te mettre là-bas, Gus ! dit Roberta. Je te lancerai le ballon.
Elle donne un coup de pied dans le joli ballon. Gus frappe
le renvoie de toutes ses forces. Mais il n'a pas bien visé.
Le ballon monte si haut dans le ciel qu'il disparaît dans un arbre.
– J'ai perdu mon beau ballon ! crie Roberta.
Ils fouillent ensemble sous les arbres et dans les
buissons mais ils ne retrouvent pas le ballon.
« Gus est vraiment trop maladroit », se dit
Roberta. À cet instant, le vent se met à
souffler. Et qu'est-ce qui tombe
sur la tête de Roberta ?
Le beau ballon de toutes
les couleurs…
Il était coincé entre
des branches.

10 AVRIL   Un chef d'orchestre

Pour Bibi, le moindre bruit est une musique.
– Dis, Bibi, lui demande un jour un rouge-gorge,
aimerais-tu diriger notre chorale d'oiseaux?
– Est-ce que c'est très difficile? s'inquiète Bibi.
– Pas pour toi, répond le rouge-gorge.
Tu as vraiment le sens du rythme.
Il suffit que tu t'entraînes sérieusement.
Bibi se met aussitôt au travail. Il veut faire
de son mieux pour être
un excellent chef d'orchestre.

11 AVRIL

Répétition de la chorale

Aujourd'hui, Bibi va répéter avec la
chorale d'oiseaux pour la première fois.
Le Professeur Lacaille, lui montre
comment tenir la baguette de chef
d'orchestre. Mais Bibi préfère battre
le rythme avec son pied pour que
les oiseaux voient et entendent la mesure
en même temps. Mais quel vacarme !
On n'entend plus la jolie chanson
des oiseaux, maintenant.

Trop de bruit, Bibi !

Un, et deux, et trois, et quatre !
Voilà comment je sais battre
La mesure avec mon pied, dit Bibi.
Le sol en tremble. Quel bruit !
Il tape des deux pieds à la fois !
Hélas, on n'entend plus les oiseaux.
Bibi fait bien trop de bruit.

13 AVRIL Un ami

Charlie Grandes-Zoreilles n'aime ni les bousculades ni les jeux brutaux. Pourquoi se fatiguer, quand c'est si agréable de dormir dans un coin?
Malheureusement, c'est impossible quand on a dix frères et sœurs! Il y en a toujours un qui chahute et qui fait du bruit. Charlie voudrait un ami tranquille qui le laisse dormir ou rêvasser.
« Cet ami doit bien exister quelque part! se dit-il.
Je vais partir à sa recherche. »
En chemin, il rencontre toutes sortes d'animaux. Mais quelle malchance! Ils sont tous très actifs ou très bruyants.
Les écureuils n'arrêtent pas de bondir d'une branche à l'autre.
Les mulots passent leur temps à chercher de la nourriture.
Et les merles et les grives se disputent sans arrêt. Charlie est fatigué et très malheureux. Où va-t-il trouver son ami?

14 AVRIL Dans le pré

Charlie cherche en vain un ami qui lui convienne.
À la lisière du bois, il regarde, inquiet, autour de lui. Il ne s'était pas rendu compte qu'il s'était éloigné de la Colline Câline!
Que faire? Rentrer chez lui? Sans avoir trouvé l'ami qu'il cherchait? « Pas question, se dit Charlie en bondissant en avant. Je ne vais pas renoncer si tôt! » Le bois est bordé de champs qui appartiennent à un fermier.
C'est un endroit très dangereux pour un petit lapin.
Quelle imprudence!

15 AVRIL Un géant

« C'est fatigant, de marcher ! » se dit Charlie en soupirant.
Cela fait des heures qu'il cherche un ami.
– Je vais me reposer un peu, déclare-t-il.
Il aperçoit un joli petit coin sous une grande clôture de bois.
Mais pour y aller, il doit traverser un sentier sablonneux. Il regarde à droite
et à gauche. Rien… Alors il s'élance et traverse le sentier. Sous la clôture pousse
une herbe longue et haute, où Charlie se fait un petit nid très confortable.
– Pfff ! soupire-t-il. Ce n'est pas facile de trouver un ami !
Il ferme les yeux et s'endort. Au bout d'un moment, il se réveille avec
une sensation bizarre. Quelque chose lui chatouille les oreilles.
Qu'est-ce que ça peut bien être ?
– Au secours ! glapit-il en ouvrant les yeux.
Un géant !

16 AVRIL Barnabé le cheval

Barnabé le cheval est en train de paître
tranquillement dans son pré. Soudain, il remarque
quelque chose dans l'herbe. Curieux, il s'avance. Il s'agit
de Charlie, profondément endormi…
Quel peur a notre pauvre Charlie, en sentant le museau
de Barnabé ! C'est la première fois qu'il voit un cheval.
– Qui es-tu ? demande poliment Barnabé.
– Je suis Charlie Grandes-Zoreilles, répond-il gaiement.
Veux-tu être mon ami ?
– Avec plaisir. À condition que je n'ai pas grand-chose
à faire. J'aime rester au soleil, bien tranquille.
Charlie est très heureux.
Il a enfin trouvé un ami calme et tranquille !

17 AVRIL   Qu'y a-t-il dans vos poches ?

Maman Grandes-Zoreilles fait la lessive des jeans, aujourd'hui.
Mais avant de mettre les jeans à laver, elle vide les poches des pantalons.
Dans les poches de Margot, elle trouve un petit miroir et un ruban rose.
Dans celles de Jeannot et de Bibi, il y a des élastiques et des petits bouts de papier.
Maman lapin vide les poches de Tom en dernier. Savez-vous pourquoi ?
Tom remplit toujours ses poches avec tout ce qu'il trouve.
Chaque fois qu'il part en expédition dans les bois, il ramasse des centaines
de choses : des brindilles, des feuilles, des cailloux, tout ce que l'on peut imaginer.
Et il ne veut jamais rien jeter… Maman Grandes-Zoreilles secoue le jean de Tom
au-dessus de la corbeille à papier. Tous les trésors tombent dans la corbeille.
« Et voilà ! se dit Maman lapin. Maintenant, il n'y pensera plus ! »

18 AVRIL   Où sont mes lunettes ?

Tom Grandes-Zoreilles a perdu ses lunettes.
Elles ne sont ni sur sa table de nuit ni dans le salon.
– Réfléchis bien, Tom, dit son papa.
Quand les as-tu portées pour la dernière fois ?
Tom fronce les sourcils et se concentre.
– Je les avais encore hier soir parce que j'ai lu
un moment dans mon lit, répond-il. Et ce matin,
nous avons joué dehors après le petit déjeuner.
Alors, j'ai mis mes lunettes dans ma poche.
– Dans ce cas, elles y sont encore, déclare Papa.
Mais Tom n'est pas satisfait du tout. Le jean
qu'il portait ce matin, Maman l'a mis dans
la machine à laver !

19 AVRIL **Un sauvetage raté**

Tom Grandes-Zoreilles court comme l'éclair vers la machine à laver. Il veut prendre ses lunettes dans la poche de son jean avant que Maman ne fasse tourner la lessive. Trop tard ! Le jean est déjà dans la machine et celle-ci est en marche !
– Que faire, maintenant ? gémit Tom. Il faut absolument que je sorte mon pantalon de là ! Sinon, mes lunettes vont se casser. Paniqué, il arrête la machine et ouvre la porte. Aussitôt, un flot d'eau savonneuse inonde le sol. Quelle catastrophe ! Comment va-t-il expliquer cela ?

20 AVRIL **Un étui à lunettes**

– Maman ! dit Tom, tout penaud. Il faut que je te dise quelque chose.
– Je t'écoute, répond Maman lapin.
– Eh bien voilà, reprend Tom. Je cherchais mes lunettes et je me suis rappelé qu'elles étaient dans la poche de mon jean. Mais comme tu l'avais mis dans la machine à laver, je… je… Oh ! Maman ! C'est affreux ! Mes lunettes sont cassées !
Maman lapin prend son petit garçon sur ses genoux pour le rassurer.
– Tes lunettes ne sont pas dans la machine, mon chéri, dit-elle. Je vide toujours les poches des vêtements avant de les laver. Sais-tu ce que je vais faire ? Je vais te fabriquer un étui. Comme ça, tu pourras y ranger tes lunettes et tu ne les perdras plus. Es-tu content ?
– Oh ! Oui, alors ! dit Tom. Il est vraiment heureux d'avoir une maman qui pense à tout ! Il va essuyer l'eau qui s'est répandue partout et tout s'arrange…

21 AVRIL   Le Petit Chaperon Rond

Connaissez-vous le Petit Chaperon Rond?
Et le renard, ce vieux fripon qui essaya de la
manger? Le Petit Chaperon Rond marchait
dans le bois, sans souci. Elle dit au renard :
– Je vais porter à Grand-Maman tout ceci.
– Que c'est gentil! dit le renard, qui pensait
arriver sans retard à la chaumière et déjeuner
d'un bon Petit Chaperon Rond! Mais
Robin le Lapin surgit et infligea
une bonne correction au vilain renard.
Puis il entra dans la chaumière de la
grand-mère et délivra le Petit Chaperon
Rond. Tout finit bien.
Vive Robin!

22 AVRIL   Des contes de fées

Les enfants Grandes-Zoreilles adorent écouter l'histoire
du Petit Chaperon Rond. Ils l'imaginent.
Elle est si mignonne avec sa jolie robe
et son panier! C'est effrayant quand le renard
mange la grand-mère et se couche dans son lit !

23 AVRIL **Miroir, miroir…**

– Et si on jouait à un conte de fées ?
suggère Margot
– Génial ! répondent ses frères et sœurs.
Lequel ? Le Petit Chaperon Rond ?
– Non, dit Margot. Je préfère Blanchette
et les Sept Lapins Nains.
– Et tu veux jouer Blanchette bien sûr ! s'écrie Hop.
– Pas du tout, réplique Margot, vexée.
Je veux être la méchante belle-mère.
Hop est très étonnée. Ce rôle-là n'est pas
très amusant ! Mais soudain, elle
comprend tout. La méchante belle-mère a
un miroir magique ! Et Margot adore
se regarder.

24 AVRIL **De la poudre**

– Margot, tu n'as pas de la poudre, par hasard? demande Zoé.

– De la poudre? Mais pour quoi faire? demande Margot, étonnée.

– Eh bien, répond Zoé, je déteste mes taches de rousseur. Si je me mets de la poudre sur le visage, on ne les verra plus.

Margot comprend tout à présent!

– Ah! De la poudre de maquillage… Non, je n'en ai pas, répond-elle.

– C'était pourtant une bonne idée!

– Mais nous pourrions demander aux autres, dit Margot, désolée de voir sa sœur si triste. Elle aussi serait bien ennuyée si elle avait des taches de rousseur!

25 AVRIL **J'ai une idée!**

Zoé et Margot cherchent de la poudre de riz pour que Zoé cache ses taches de rousseur. Elles demandent à leurs frères et sœurs, mais personne n'a ce genre de choses, dans le terrier des Grandes-Zoreilles.

– Gus est le seul à qui nous n'ayons pas demandé, dit Zoé.

– Nous pouvons toujours essayer, dit Margot.

Gus écoute ses sœurs avec attention.

– Je n'ai pas de poudre non plus, dit-il, mais je crois que j'ai une idée. Suivez-moi!

26 AVRIL **De la farine**

Gus est tout content. Il va aider Zoé à cacher ses taches de rousseur! Il conduit ses deux sœurs dans la cuisine et montre du doigt la plus haute des étagères.

– Vous voyez ce sac de farine, là-haut? C'est comme de la poudre. Si tu te la passes sur la figure, Zoé, tes taches de rousseur disparaîtront. Tu auras le teint tout blanc. Et aussitôt, il prend un tabouret, grimpe dessus et attrape le sac de farine. Mais, le tabouret oscille et patatras! Gus tombe par terre et le sac de farine s'abat sur sa tête. Gus en est complètement recouvert.

Il a l'air d'un fantôme!

– Eh bien! dit Zoé. Je n'ai pas envie de ressembler à ça! Je préfère encore garder mes taches de rousseur. La farine, de toute façon, ça ne se met pas sur la figure!

27 AVRIL **Mal de dents**

La joue droite de Hip est toute enflée et la joue gauche de Hop
ressemble aussi à un ballon. Hip et Hop ont mal aux dents.
Maman Grandes-Zoreilles appelle tout de suite le dentiste
pour prendre rendez-vous.
– Aïe, aïe, aïe ! gémit Hip.
– Ouille, ouille, ouille ! marmonne Hop.
Pour que les jumeaux aient moins mal, leur maman a noué
de grands mouchoirs autour de leurs têtes. Hip a un mouchoir
rouge avec des pois blancs et Hop un mouchoir jaune avec
des rayures bleues. Une heure plus tard, les jumeaux sont
dans la salle d'attente du docteur Canine. Ils ont beau avoir très
mal, ils tremblent en imaginant ce que le dentiste va leur faire.
Ils entendent déjà le grincement de la roulette…
– Venez, les enfants ! dit le docteur Canine. Vous n'avez tout de
même pas peur du dentiste ?

28 AVRIL **Bavards**

Le dentiste a soigné dans les mauvaises dents de Hip
et de Hop. Ils n'ont plus mal du tout.
– Que vous a dit le docteur Canine ? demande Maman lapin.
– De nous brosser les dents deux fois par jour, répondent-ils.
– Eh bien, espérons que vous le ferez ! dit-t-elle. Sinon,
il faudra encore revenir chez le dentiste !

29 AVRIL **Brossez-vous les dents!**

Hip et Hop sont très contents de ne plus avoir mal aux dents. Maintenant, ils n'oublient jamais de se brosser les dents deux fois par jour. Et ils veillent à ce que leurs frères et sœurs en fassent autant.
– Brossez-les comme il faut! disent-ils. Autrement, vous serez obligés d'aller chez le dentiste.
– Mais le dentiste a été très gentil, n'est-ce pas? dit Tom d'un ton surpris.
– Vous avez même dit que vous n'aviez pas du tout eu peur, renchérit Roberta.
– Et que ça ne faisait même pas mal, déclare Gus. Les jumeaux sont obligés de dire la vérité.
– Quand tout a été terminé, disent-ils, ça allait très bien. Mais lorsque nous étions dans la salle d'attente, nous tremblions de peur!

30 AVRIL **Les dents**

Prenez bien soin de vos dents, sinon ce sera le dentiste qui vous les arrachera demain. Ce serait vraiment triste! Plus de dents pour mastiquer, ni croquer ni grignoter. Et pour sourire? Rien que des gencives de bébé!

1ER MAI   **Une dispute**

– Comme les oiseaux chantent bien ! s'écrie Riquet.
On dirait que leurs trilles sont encore plus beaux
que d'habitude. Je me demande pourquoi !
– Pfff ! Tu ne sais jamais rien ! réplique Tom.
– Parce que toi, tu sais tout ? rétorque Riquet.
– En tout cas, je connais beaucoup plus
de choses que toi !
Le ton monte. Bientôt, les deux petits lapins
se disputent comme chien et chat...
Mais soudain, ils s'arrêtent, surpris.
Comme c'est bizarre ! Tous les oiseaux
ont cessé de chanter.

2 MAI   **Silence**

Aucun bruit. Dans tout le Bois Profond,
on n'entend plus le moindre chant
d'oiseaux. C'est bizarre et inquiétant.
Pourquoi les petits oiseaux, quand les
enfants se querellent, s'enfuient-ils à
tire-d'ailes ? Jolis petits oiseaux !
C'est si gai quand vous chantez !
Nous ne nous disputerons plus
jamais. Mais revenez,
s'il vous plaît !

3 MAI **Loulou**

Tom et Riquet regardent
autour d'eux. Pourquoi tous
les oiseaux ont-ils cessé
de chanter? Soudain, ils
entendent une exclamation de
colère. Loulou le hibou est assis
sur une des branches. Il a l'air
de très mauvaise humeur.
– Vous avez tellement
crié que vous avez
effrayé les oiseaux! dit-il.

– C'est de la faute de Tom, dit Riquet, penaud.
Il a dit que j'étais idiot!
– Il a raison, dit le hibou. Tu ne sais donc pas que
tous les oiseaux pondent leurs œufs en mai? Il ne faut
surtout pas les déranger! Quant à moi, je dormais.

4 MAI **Les oreilles**

Les enfants Grandes-Zoreilles prennent grand soin
de leur queue. Ils la lavent à l'eau froide tous les matins
et la brossent jusqu'à ce qu'elle soit aussi brillante
que douce. Maman Grandes-Zoreilles veille à ce que
ses petits lapins soient très beaux.
– Que d'histoires pour ces petites queues! grommelle
Papa Grandes-Zoreilles.
Pour lui, les oreilles sont bien plus importantes.
– C'est joli, bien sûr, d'avoir une petite queue bien
ronde, dit-il. Mais les oreilles sont bien plus utiles.
Elles nous avertissent des dangers.
Papa lapin sait de quoi il parle. Il a lui-même de très
belles oreilles. Elles sont si grandes qu'il entend
le moindre bruit à une très grande distance.

5 MAI   Quatre bouts de bois

Papa lapin n'est pas très heureux de voir son fils Gus
avec des oreilles aussi tombantes.
– Tu ne dois rien entendre, mon pauvre enfant ! Il faut absolument
faire quelque chose. Tu es encore petit et cela peut s'arranger.
Il prend quatre bouts de bois et les attache aux oreilles de Gus
avec des bandages. Les bouts de bois forment des attelles,
comme pour les bras cassés.
– Et maintenant, dit Papa lapin, tu m'entends mieux ?
Gus ne répond pas. Il voit les lèvres de son père bouger,
mais il n'entend rien, à cause des bandages
qui lui entourent les oreilles.

6 MAI   De bonnes oreilles

– J'entends parfaitement bien, Papa, dit Gus
débarrassé de ses encombrantes attelles.
– Je voudrais m'en assurer, dit-il.
Nous allons faire une petite
compétition. Nous allons nous
bander les yeux et demander
à Maman de faire un bruit.
Le premier qui
le reconnaîtra aura gagné.
Ils écoutent avec attention.
– Maman tire quelque chose
de sa poche ! s'écrie Gus. Papa
lapin n'arrive pas à y croire.
Lui-même n'a rien entendu !
– Mais oui ! répond-elle en riant.
Même avec ses oreilles
tombantes, Gus entend
très bien.

7 MAI **Alerte rouge**

– Alerte rouge ! crie Jeannot. Alerte rouge !
Ses frères et sœurs se précipitent pour voir ce qui se passe.
– Quelqu'un a creusé un trou dans notre terrain de football !
explique Jeannot.
Ce matin, Jeannot est parti jouer à son jeu favori,
mais quand il est arrivé sur le terrain de football,
il n'y avait presque plus d'herbe. On aurait dit
un champ labouré.
– Quelqu'un a essayé de tout détruire,
dit Jeannot, furieux. C'est quelqu'un
de vraiment méchant. Mais qui est
le coupable ? Il n'y a personne d'aussi
cruel sur la Colline Câline.

8 MAI **Un farceur**

– Il y a un méchant farceur qui n'aime
pas les lapins ! disent les enfants Grandes-
Zoreilles à leur papa. Le terrain de
football est complètement détruit !
Papa Grandes-Zoreilles se précipite. Mais
quand il voit le terrain, il éclate de rire.
Jeannot est terriblement vexé. Pourquoi
son père trouve-t-il cela si drôle ?
– Ne sois pas fâché, Jeannot, dit-il.
Je sais qui a creusé ici. Il s'agit
de Toto la Taupe. Le pauvre a
une si mauvaise vue qu'il n'a
sûrement pas fait exprès d'abîmer
votre terrain de jeux. Viens
avec moi, nous allons
lui rendre visite.

9 MAI Toto la Taupe

– Coucou, Toto ! Es-tu là ? crie Papa
Grandes-Zoreilles.
Quelques instants plus tard, ils entendent des
grattements. Puis des mottes de terre volent hors
du trou et tout d'un coup, Toto la Taupe apparaît.
– Qui est-ce ? demande-t-il en s'adressant à
un arbre. Toto y voit si mal qu'il pense que
le tronc d'arbre est un des animaux de la forêt !
– C'est nous, Papa et Jeannot Grandes-Zoreilles.
Pourriez-vous creuser un petit peu plus loin ? Vous
êtes sur le terrain de football de mes enfants.
– Vraiment ? Oh ! Je suis désolé ! Je vais aller
de l'autre côté, sans perdre un instant.
Jeannot est rassuré. Cette pauvre taupe est
plus à plaindre qu'à blâmer !

10 MAI Des secrets

C'est bientôt l'anniversaire de Maman lapin.
Les enfants ont chacun une surprise pour leur maman,
mais aucun d'eux ne veut dévoiler ce que c'est.
– Que vas-tu lui donner, Charlie ? demande Margot.
– Je ne te le dirai pas, répond Charlie. C'est un secret.
– Mais pas pour moi ! insiste Margot. Ce n'est pas comme
si tu le disais à Maman.
– Si je te le dis, tu vas me copier, dit Charlie d'un air entendu.
– Pas du tout ! J'ai déjà une idée bien meilleure que la tienne !
– Et qu'est-ce que c'est ?
– Si toi tu ne me dis rien, alors moi non plus ! répond Margot,
qui s'en va en boudant.

11 MAI De bon matin

Margot s'est réveillée très tôt, ce matin. Elle se glisse
au-dehors en faisant bien attention à ne pas faire de bruit.
Aujourd'hui, c'est l'anniversaire de sa maman.
Margot veut lui faire une belle surprise. Elle va lui cueillir
un énorme bouquet de fleurs ! Elle connaît un endroit
où poussent les plus jolies fleurs du monde,
dans une clairière, au fond du bois. « Il faut que
je me dépêche, se dit Margot. Autrement, je ne serai pas
rentrée quand Maman se lèvera. » Et personne ne doit
s'apercevoir de son absence !

94

12 MAI — Le plus beau des cadeaux

Margot Grandes-Zoreilles se hâte vers la clairière. Elle veut que son cadeau soit le plus beau. Mais une surprise attend la petite lapine, au fond du bois… Elle aperçoit dix paires d'oreilles de lapin qui dépassent des fleurs. Neuf paires d'oreilles toute droites, et une paire d'oreilles tombantes. Tous les enfants Grandes-Zoreilles ont eu la même idée ! Ils sont allés dans la clairière, ce matin, pour cueillir des fleurs à leur maman. Au début, Margot est déçue. Mais bientôt, elle se joint à ses frères et sœurs et ramasse un énorme bouquet. Maman va être gâtée !

13 MAI — Des fleurs…

Les enfants Grandes-Zoreilles pouffent de rire en poussant la porte de la chambre de leurs parents. Ils ont les bras chargés de bouquets. Ils jettent toutes leurs fleurs sur le lit de leur mère. Il y en a tant qu'elles recouvrent les couvertures ! On ne voit plus que le visage de Maman lapin, souriante et émue au milieu des fleurs. Ses petits lapins lui ont fait une bien belle surprise !

95

Comme c'est étrange !

Maman Grandes-Zoreilles cherche Zoé. Comme c'est étrange !
D'habitude, Zoé est toujours en train de faire quelque chose
dans la maison pour aider sa maman.
Mais quand Maman Grandes-Zoreilles veut plier les draps,
ce matin, impossible de trouver Zoé. Et ces draps
sont trop grands pour qu'elle les plie toute seule.
« Tant pis ! se dit-elle. Je vais demander à Bibi. »
– Bibi, veux-tu m'aider à plier ces draps ? demande-t-elle.
– Oui, Maman ! J'arrive ! répond Bibi.
Il prend le drap mais il est plutôt maladroit. Il n'arrive pas
à le tenir et soudain… Vlan ! Le drap tombe par terre.
Il est tout sale, maintenant !
– Pardon, Maman, dit Bibi. Il vaut mieux demander à Zoé
pour ce genre de choses. Je ne suis pas très doué.
– Je sais, dit Maman Grandes-Zoreilles. Mais Zoé a disparu.
Je n'arrive pas à la trouver !
Bibi trouve cela très étrange, lui aussi.
Où est donc passée sa grande sœur ?

15 MAI Une toile d'araignée

Zoé n'a pas disparu.
Elle veut paresser un peu.
– Pour une fois, les autres aideront
Maman ! dit-elle. Moi, je vais lire au soleil.
Zoé est bientôt si absorbée par sa lecture
qu'elle ne remarque pas Ariane l'araignée,
au-dessus de sa tête. Ariane se balance au
bout d'un long fil, et se dit,
en contemplant les oreilles de Zoé :
« Voilà l'endroit idéal pour tisser
ma toile ! » Bibi passe par là
un moment plus tard.
– Zoé ! s'écrie-t-il. Tu
ferais mieux de faire
le ménage !
Tu as une belle
toile d'araignée
entre les
oreilles !

16 MAI Paresser

Aujourd'hui, je vais paresser
Et ne pas lever le petit doigt.
J'ai besoin d'un jour de congé,
Pour penser un peu à moi !
Aujourd'hui, je vais m'amuser
Et m'allonger au soleil.
Je vais lire, me reposer,
comme Zoé Grandes-Zoreilles.
Ah ! Quel plaisir, la liberté,
Quand on a bien travaillé !

17 MAI **La toise**

Hip et Hop Grandes-Zoreilles veulent savoir
s'ils ont grandi. Alors Papa Grandes-Zoreilles
installe une toise contre le mur. C'est un
instrument de mesure qui glisse de haut en
bas. Les enfants Grandes-Zoreilles n'ont plus
qu'à s'y adosser, puis Papa lapin fait glisser
le marqueur jusqu'à ce qu'il touche leur tête.
Alors, ils se retournent et regardent combien
ils mesurent. C'est le tour de Hip. Il mesure
dix-huit centimètres, ce qui est vraiment très
grand pour un enfant lapin !

18 MAI **Pluie de mai**

Hip est en colère. Hop est plus grande que lui !
Voilà qui ne lui plaît pas du tout !
– Sais-tu ce que tu devrais faire ? lui dit Hop.
Si tu veux grandir, tu devrais rester sous la pluie
parce que la pluie de mai fait grandir.
À la première averse, il se précipite dans le bois.
Une heure plus tard, il est toujours là, immobile
sous la pluie. Ses vêtements sont trempés
et de temps en temps, il éternue violemment.
– Ça suffit, maintenant ! dit Hop en venant
chercher son frère. Allons nous mesurer
encore une fois.
 – À toi, Hop, dit Hip.
Mais quand Hop regarde la toise,
elle voit qu'elle mesure vingt centimètres !
Deux centimètres de plus
que son frère…
– Nous ne sommes plus vraiment
des jumeaux ! s'écrie Hip.

19 MAI   **Cela n'a rien d'étonnant**

Hip et Hop Grandes-Zoreilles sont devant la toise. Hip espère de toutes ses forces qu'il a grandi. Il veut être au moins aussi grand que sa sœur.

– Reste tranquille une seconde ! dit Hop en faisant glisser le marqueur de la toise. Hip éternue tout le temps. Ce n'est pas facile de bloquer le marqueur dans ces conditions !

– Aaa… tchoum ! Alors, j'ai grandi ?

– Non, réplique Hop en soupirant. Je suis toujours plus grande que toi.

– Tu n'as peut-être pas bien mesuré, dit Hip, paniqué. Mets-toi sous la toise…

Hop obéit. Et soudain, Hip comprend ce qui s'est passé. Il n'est pas du tout plus petit que sa sœur ! Mais comme elle a gardé ses chaussures, elle paraît plus grande. Et dire qu'il est resté une heure sous la pluie pour rien !

20 MAI La corde à sauter

Zoé et Margot Grandes-Zoreilles jouent à sauter à la corde.
Chacune leur tour, elles bondissent dès que la corde touche le sol.
Gus les aide à faire tourner la corde. Il tient un bout,
pendant qu'une de ses sœurs tient l'autre. Et pendant
ce temps, une des petites lapines s'élance pour laisser
passer la corde sous ses pieds.
Gus est très gentil d'aider ses sœurs au lieu de jouer.
– De toute façon, avec mes drôles d'oreilles, je ne sauterais
pas bien du tout, dit Gus.
Margot et Zoé sont d'accord. Évidemment, elles préfèrent
sauter que de tenir la corde ! C'est bien plus amusant.

21 MAI Veux-tu jouer aussi ?

Margot et Zoé s'amusent follement à sauter à la corde.
Aujourd'hui, elles sont très en forme !
Un peu plus tard, Jeannot les rejoint.
– Veux-tu jouer aussi, Jeannot ? demande Zoé. Tu peux
prendre ma place. Je commence à être fatiguée.
– Merci, dit Jeannot, qui bondit très haut tandis
que les deux autres font tourner la corde.
Jeannot est très bon en sport. Sauter à la corde
n'a rien de difficile pour lui. Il bondit et rebondit
sans jamais toucher la corde. Quel champion !
– Eh bien, Jeannot ! Tu es vraiment doué !
s'exclame Margot. Si tu continues comme ça,
ça ne sera jamais notre tour !
– Quoi ? Oh ! Pardon ! s'écrie Jeannot, haletant.
Allez-y, maintenant. Je vais vous aider
à tourner la corde.
Margot s'élance. Quel plaisir
de sauter pour des petits lapins !

22 MAI Un jeu de fille

– Veux-tu sauter à la corde, toi aussi ? demande Margot à Roberta.
Elle prend un air méprisant. Elle préfère les vrais jeux de garçon !
– Sauter à la corde ? dit-elle. Pouah ! C'est un jeu de fille !
Et c'est idiot.
Mais Jeannot n'est pas de son avis.
– Sais-tu, dit-il, que presque tous les sportifs s'entraînent
à la corde à sauter ? C'est excellent pour garder la forme.
Roberta n'est toujours pas convaincue.
– Je t'assure que c'est vrai, petite sœur, insiste Jeannot.
Je saute à la corde parce que je veux être très musclé.
Roberta est vraiment très étonnée.
Et si elle sautait, elle aussi, après tout ?

23 MAI Une limace

Riquet Grandes-Zoreilles aime faire des farces.
Ce matin, pendant que Maman Grandes-Zoreilles étendait
le linge sur le fil, elle a pris une épingle à linge dans le panier.
En réalité, ce n'était pas une épingle mais une grosse limace !
Bien sûr, Maman lapin n'a pas peur des limaces. Mais, c'est
vraiment désagréable de toucher cet animal tout gluant.
Cette fois, Riquet a exagéré ! Furieuse, Maman est allée
chercher la tapette pour battre les tapis. Elle sait très bien
qui lui a joué ce tour-là et il va avoir une bonne fessée !
– Riquet Grandes-Zoreilles ! s'écrie-t-elle.
Attends un peu que je t'attrape !
Cette fois, c'est Riquet qui a peur.
Il court se cacher.

24 MAI Plus de farces, Riquet !

Riquet n'ose pas rentrer à la maison. Il a fait une si mauvaise
farce à sa maman ! Mieux vaut sans doute se faire oublier
un peu. Riquet ne sait pas pourquoi il aime tant jouer
des tours aux gens. Les idées arrivent toutes seules
dans sa tête. Et avant qu'il ait pu réfléchir,
le voilà qui glisse une grenouille dans le lit
de Margot ou attache ensemble les lacets
de Gus. C'est seulement après que Riquet
se rend compte que ses petites
plaisanteries ne sont pas drôles
du tout. Mais alors, c'est trop tard !
« À partir de maintenant, je ne vais
plus faire de plaisanteries
à personne ! » se jure-t-il.

25 MAI

Que c'est amusant !

Riquet se promène dans le bois.
Soudain, il aperçoit Goupilou en train
de faire la sieste. Quelle occasion
idéale pour lui jouer une farce ! Il
s'approche sur la pointe des
pieds et attache la queue du
renard au buisson avec une
ficelle. Il s'éloigne à toutes
jambes en criant :
– Essaie de m'attraper, gros
malin de Goupilou !
Le renard se réveille en sursaut.
Mais impossible d'avancer ! Riquet rit
aux éclats. Au fait, n'avait-il pas
juré de ne plus faire de farces ?

26 MAI Une flûte

Riquet Grandes-Zoreilles a fait une flûte avec un roseau.
– Quelle jolie musique, Riquet! s'exclame sa sœur Roberta
en l'entendant. J'aimerais bien jouer comme ça.
– Eh bien, essaye!
– Ne dis pas de bêtises. Je ne sais même pas comment souffler
dans une flûte pour faire des notes! Et puis, comment couvrir
tous ces petits trous avec mes pattes?
– Tu n'as qu'à essayer un autre instrument, dit Riquet.
– Mais ils ne font pas une aussi jolie musique,
déclare Roberta, têtue.
– Si, mais ils sonnent différemment. Écoute, si tu jouais
quelque chose en même temps que moi, la musique
de ma flûte serait encore plus belle, explique Bibi.
– Dans ce cas, j'aimerais bien apprendre un autre
instrument! décide Roberta. Mais lequel?

104

27 MAI **Les instruments**

Roberta et Bibi entrent dans le terrier pour chercher un instrument de musique. Bibi se dirige tout de suite vers la cuisine.
– La cuisine est pleine de musiques! dit Bibi en prenant deux couvercles de casseroles et en les cognant l'un contre l'autre.
– Non! s'écrie Roberta. Je n'aime pas ce bruit-là.
– Et celui-ci? demande Bibi en frappant sur un seau.
– Non, je ne l'aime pas non plus.
Alors Bibi va chercher dix bouteilles vides. Il en remplit une complètement et ensuite, met de moins en moins d'eau dans chacune d'entre elles. Chacune donne une note différente.

28 MAI **Un orchestre**

Bibi joue de la flûte et Roberta tape sur ses bouteilles.
– Peut-on jouer, nous aussi? demandent les autres enfants.
– Bien sûr! dit Bibi. La cuisine est pleine de trésors. Jeannot choisit les couvercles des casseroles et Riquet les cuillères en bois. Margot souffle dans un peigne musical! Hip et Hop ont chacun une boîte de conserve remplie de cailloux qu'ils secouent.
Tom souffle dans un vieux morceau de tuyau d'arrosage. Zoé frotte une pince à linges sur une vieille planche à laver. Charlie souffle dans un vieux klaxon. Et Gus fait sonner un grelot de bicyclette!

29 MAI Un grand rangement

Charlie Grandes-Zoreilles doit ranger la salle de jeux.
– Tu vas ranger tout ce désordre, maintenant, Charlie !
ordonne sa maman. Et tu ne viendras pas dîner
tant que tu n'auras pas fini.
Charlie se met au travail. Il n'est pas désordonné,
mais chaque fois qu'il joue avec un jouet,
il se fatigue. Et avant qu'il ait pu s'en apercevoir,
il ferme les yeux et s'endort sur place.
Quand il se réveille, il s'amuse avec quelque chose
d'autre. « Est-ce moi qui ai mis toute cette pagaïe ? »
se demande-t-il. Il a du mal à le croire ! Son train en bois
traîne sur le sol. Un puzzle est enfoui sous une pile
de livres et des quilles sont entassées pêle-mêle dans
un coin. Rien que de voir tout cela,
Charlie est déjà fatigué.
« Il faut vraiment ranger tout ça ? »
se dit-il en bâillant.

30 MAI **Chut !**

Maman Grandes-Zoreilles se demande pourquoi Charlie met si longtemps à ranger ses jouets. Il aurait dû terminer avant l'heure du dîner. Maintenant, tout le monde a fini son assiette et Charlie n'est toujours pas descendu. Alors Maman lapin décide d'aller voir ce qui se passe. Quand elle ouvre la porte de la salle de jeux, elle aperçoit les crayons bien rangés sur l'étagère. Le petit train et les cubes sont rangés côte à côte. Les quilles sont alignées dans un coin avec la balle de bowling à côté. En fait, la pièce est rangée. Soudain, Maman lapin aperçoit Charlie. Il s'est endormi sur les jouets en peluche ! Il était tellement fatigué d'avoir tout rangé qu'il n'arrivait plus à garder les yeux ouverts.

31 MAI **Quel dormeur !**

Notre Charlie est un tel dormeur !
Regardez-le bâiller dans son lit,
Les yeux pleins du sable enchanteur
Que le marchand de sable verse la nuit.
– Il est vraiment très tard, dit le soleil.
Il faut se coucher. J'ai sommeil !
Dormez bien, petits lapins.
Je reviendrai demain matin.
Charlie aussi est fatigué.
Ses paupières se baissent,
puis se ferment.
Se ferment tout à fait.
Il va pouvoir rêver !

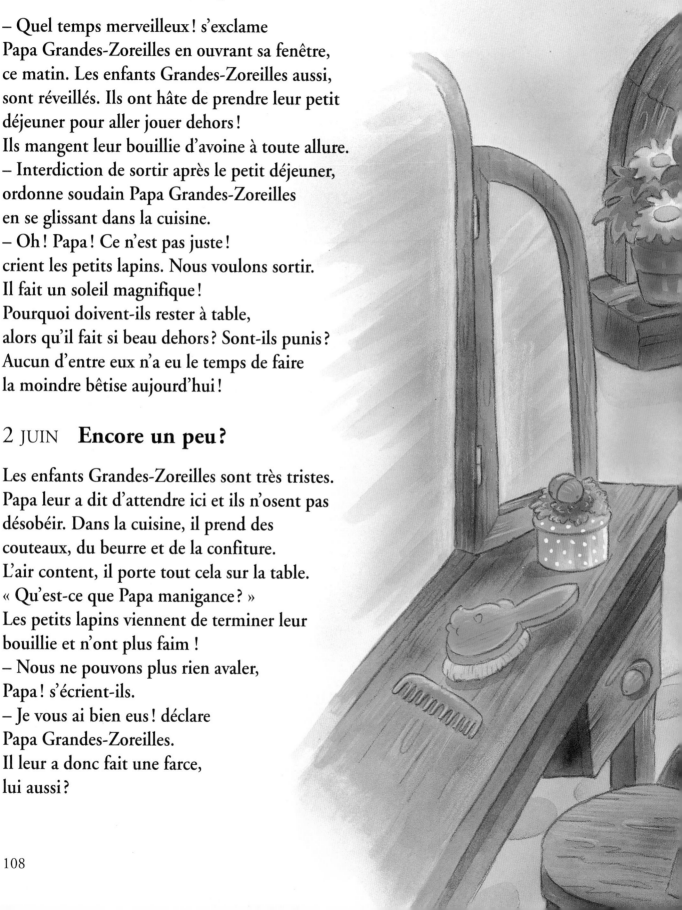

1ER JUIN   **Une drôle de punition**

– Quel temps merveilleux ! s'exclame
Papa Grandes-Zoreilles en ouvrant sa fenêtre,
ce matin. Les enfants Grandes-Zoreilles aussi,
sont réveillés. Ils ont hâte de prendre leur petit
déjeuner pour aller jouer dehors !
Ils mangent leur bouillie d'avoine à toute allure.
– Interdiction de sortir après le petit déjeuner,
ordonne soudain Papa Grandes-Zoreilles
en se glissant dans la cuisine.
– Oh ! Papa ! Ce n'est pas juste !
crient les petits lapins. Nous voulons sortir.
Il fait un soleil magnifique !
Pourquoi doivent-ils rester à table,
alors qu'il fait si beau dehors ? Sont-ils punis ?
Aucun d'entre eux n'a eu le temps de faire
la moindre bêtise aujourd'hui !

2 JUIN   **Encore un peu ?**

Les enfants Grandes-Zoreilles sont très tristes.
Papa leur a dit d'attendre ici et ils n'osent pas
désobéir. Dans la cuisine, il prend des
couteaux, du beurre et de la confiture.
L'air content, il porte tout cela sur la table.
« Qu'est-ce que Papa manigance ? »
Les petits lapins viennent de terminer leur
bouillie et n'ont plus faim !
– Nous ne pouvons plus rien avaler,
Papa ! s'écrient-ils.
– Je vous ai bien eus ! déclare
Papa Grandes-Zoreilles.
Il leur a donc fait une farce,
lui aussi ?

108

3 JUIN Un pique-nique

Papa Grandes-Zoreilles fait une farce
à ses enfants !
– Ne vous inquiétez pas ! reprend Papa.
Personne n'est puni. Mais si nous nous
mettions tous à tartiner du pain avec du
beurre, nous pourrions pique-niquer dans le…
Il n'a pas besoin de terminer sa phrase.
– Youpi ! Nous allons pique-niquer !
crient les onze enfants tous en chœur.
Et en deux temps trois mouvements,
il y a une grosse pile de sandwichs
sur la table.

4 JUIN Les ombres

La famille Grandes-Zoreilles
se rend dans une petite clairière
du Bois Profond.
Malgré le soleil qui transperce
le feuillage des arbres, le bois
semble rempli de mystères.
Il y a des ombres
un peu partout, ici
et là sur le sentier.

5 JUIN · La forêt

Les feuillages chuchotent,
le ruisseau murmure, la forêt
bruisse de secrets. Elle est
habitée, c'est sûr. Ouvrez grand
les oreilles et écoutez les voix
qui gazouillent doucement
dans le bois ! Là, cachés dans
les buissons épais bien profond,
au cœur de la forêt, des elfes et
des gnomes bavardent. Entre
les ombres ils se hasardent,
parlent aux nains qui,
un pinceau à la main,
peignent des pois blancs
sur les champignons.

6 JUIN · Les dragons

Il fait plutôt sombre sous
les arbres. Papa et Maman lapin
ne peuvent s'empêcher de rire.
Leurs enfants ont tellement
d'imagination ! Derrière chaque
arbre, ils voient des sorcières
et des dragons. Et personne
ne veut être le dernier
de leur longue file indienne…
Imaginez qu'un gnome surgisse ?
Ce serait justement le dernier
qu'il enlèverait !

7 JUIN   Les vrais dangers

Maman Grandes-Zoreilles est désolée car Margot
est épouvantée ! Elle sursaute au moindre bruit.
Ses frères et sœurs, eux, gambadent gaiement sur le
sentier, insouciants. Pourtant, ils ont effrayé la petite fille
avec leurs affreux récits de sorcières. Maintenant,
Margot marche en tremblant malgré la protection
de ses parents. Mais il y a d'autres dangers.
Goupilou le Rouquin peut se cacher derrière
un arbre. Un petit lapin doit toujours
être vigilant.

8 JUIN   La clairière

La famille Grandes-Zoreilles arrive
à la clairière. Margot va cueillir
des fleurs, elle est heureuse
d'être sortie de ce bois effrayant !
– Où sont les autres ? demande Maman.
Ils doivent avoir soif.
– Ne t'inquiète pas, ma chérie. Quand ils
voudront boire, ils arriveront en courant !

9 JUIN La couverture de pique-nique

Pendant que les autres enfants explorent
les buissons, Margot fait un joli bouquet.
Maman lapin sort une immense couverture
de son sac à dos. C'est son arrière grand-mère
qui l'a confectionnée. Maman ne l'utilise
que pour les pique-niques.
L'arrière grand-mère de Maman Grandes-
Zoreilles savait très bien coudre.
Elle a assemblé plein de petits morceaux
de tissu pour faire cette immense
couverture en forme de soleil, avec
des yeux contents et une
bouche qui rit.

10 JUIN On a faim !

Les dix petits lapins arrivent en
se bousculant dans la clairière.
Dès qu'ils voient la pile de sandwichs,
ils veulent tous en prendre un. Le grand air
leur a ouvert l'appétit et ils meurent de faim.
– Une petite minute ! dit Papa Grandes-Zoreilles.
Il faut d'abord vous laver les mains.
Il y a un ruisseau tout près de là. En un éclair,
tous les sandwichs ont disparu. Maintenant,
les onze enfants s'allongent par terre,
le ventre plein. Ah, ça va mieux !

11 JUIN **Le retour**

La famille Grandes-Zoreilles a passé toute la journée dans la clairière. Mais maintenant, il est l'heure de rentrer à la maison. Vite, les lapins rangent les affaires dans leurs sacs à dos.
– Ah! dit Gus, très content. Maintenant que nous avons mangé tous les sandwichs, mon sac me paraît beaucoup moins lourd.
– Tout le monde est prêt? demande Papa lapin.
Il compte les enfants pour voir s'ils sont tous là.
– Voilà Zoé, Gus, Tom, Jeannot, Roberta et les jumeaux, Bibi et Margot, Riquet et…
Attendez! Où est Charlie? s'exclame Papa, inquiet. Vous ne l'auriez pas aperçu, par hasard?

12 JUIN **La nuit tombe…**

Où est passé Charlie. Toute la famille le cherche partout. Impossible de le trouver!
– Où est passé mon petit Charlie? gémit Maman Grandes-Zoreilles. La nuit tombe et il faut coucher les enfants.
– Oui, dit Papa. Et la route est longue!
– Ma chérie, tu vas rentrer avec les plus petits. Vous arriverez avant la nuit. Moi, je vais rester ici avec Riquet et Zoé pour continuer les recherches. Surtout, ne t'inquiète pas. Nous le trouverons!
Mais le bois est si grand! Et Charlie si petit…

114

13 JUIN Un étourdi

Maman Grandes-Zoreilles
se tourne vers ses petits.
– Allons ! dit-elle. Il faut rentrer !
Elle se penche pour prendre
son sac à dos. Que c'est lourd !
Maman ouvre son sac, déplie la
couverture et pousse un cri
de surprise… Charlie est blotti
dans les plis. Maman est très
soulagée et aussi très fâchée.
Ils auraient pu chercher Charlie
toute la nuit. Quel étourdi !

14 JUIN Encore un effort

Il est très tard, maintenant.
Papa veut ramener sa famille au
terrier avant la nuit.
– Je suis tellement fatiguée !
gémit Hop. C'est encore loin ?
Tout le monde se souviendra
de ce pique-nique !

15 JUIN **Des empreintes**

Les Grandes-Zoreilles sont restés dehors
toute la journée. Ils ignorent tout de l'agitation
qui règne sur la Colline Câline. Leur voisin,
Monsieur Lapinou, vient chercher
Papa Grandes-Zoreilles.
– Nous avons trouvé d'étranges empreintes tout près
de la Colline Câline ! Personne n'a jamais vu des
traces comme celles-ci, lui explique Monsieur
Lapinou. C'est ce qui nous inquiète.
Riquet a tout entendu.
– C'est sûrement un dragon cracheur de feu !
dit-il à ses frères et sœurs.

16 JUIN **Le dragon**

Avez-vous vu le dragon, quand il rugit ?
C'est un spectacle effrayant, surtout la nuit, car
dès qu'il ouvre la bouche, il crache des flammes.
Si elles vous touchent, vous êtes cuits ! Et ses
longues dents pointues sont cruelles et blanches.
Si elles vous ont mordus, vous êtes perdus ! Voyez
sa queue hérissée battre l'air avec colère. Hier, ses
griffes recourbées, ont laissé chez nous d'étranges
empreintes… Il n'y a plus aucun doute, et si vous
avez des craintes, ne vous croyez pas poltron.
L'ennemi, c'est un dragon !

17 JUIN **Une réunion**

Papa Grandes-Zoreilles et les autres papas lapins
de la Colline Câline se retrouvent tous,
le soir même, pour une grande réunion.
Archibald Pattegrise, le plus âgé
des lapins, préside la réunion.
– Mes chers amis lapins, dit-il, nous sommes
réunis ce soir pour une affaire très grave.
Ces empreintes inconnues signifient que
nous sommes en danger. Naturellement,
elles n'appartiennent pas à un dragon car les
dragons n'existent pas. Mais qui les a laissées ?
Qui est venu rôder devant nos maisons ? Tout le
monde l'ignore. Alors nous allons organiser des
tours de garde et surveiller la colline nuit et jour.
Les papas lapins sont tous d'accord.
– Je monterai la garde ce soir, dit Papa
Grandes-Zoreilles.
C'est un lapin très courageux.
Aussi courageux que
Robin le Lapin !

18 JUIN **La ronde de nuit**

Les lapins de la Colline Câline sont très
nerveux. Parviendra-t-on à découvrir
à qui appartiennent les empreintes, grâce
aux rondes de nuit?
Ce soir, c'est Papa Grandes-Zoreilles qui
monte la garde. Dès qu'il fait nuit noire,
il est à son poste, les oreilles dressées,
les yeux grands ouverts.
Soudain, il entend des bruits.
– Qui va là? demande-t-il.
Un cri étrange résonne dans l'obscurité.
Quelqu'un se moque de Papa
Grandes-Zoreilles, tout simplement!

19 JUIN **La créature**

Papa Grandes-Zoreilles est furieux.
Qui lui joue ce tour? Qui se cache
dans l'obscurité? Soudain, il entend
d'autres branches craquer.
Une étrange créature apparaît
alors. Papa Grandes-Zoreilles est très
étonné. Jamais il n'a vu un tel animal!
Devant lui se tient une bête à la fourrure
gris foncé et au museau rose.
Ses bras et ses jambes sont longs et maigres.
Et il a aussi de longs doigts et de longs orteils.
Sans parler de sa queue, qu'il dresse en l'air
comme un point d'interrogation.
De plus, la créature regarde autour d'elle avec
des yeux noirs pleins de moquerie et elle sourit.
– Qui… qui êtes-vous? balbutie
Papa Grandes-Zoreilles.
– Je suis Coco le singe!

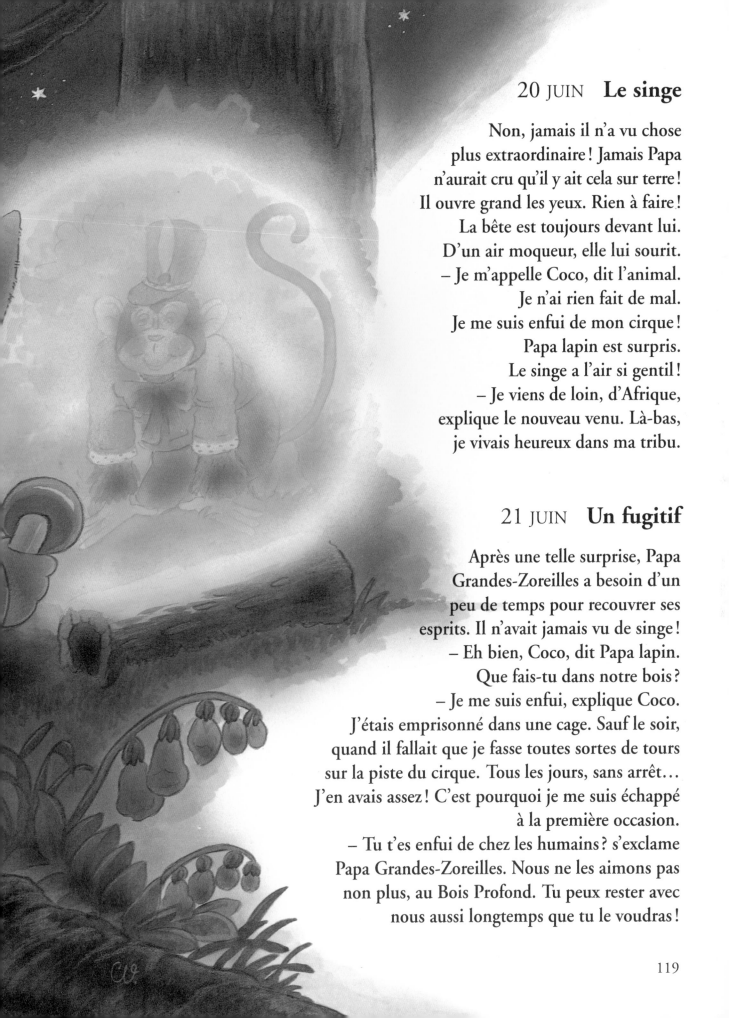

20 JUIN Le singe

Non, jamais il n'a vu chose
plus extraordinaire ! Jamais Papa
n'aurait cru qu'il y ait cela sur terre !
Il ouvre grand les yeux. Rien à faire !
La bête est toujours devant lui.
D'un air moqueur, elle lui sourit.
– Je m'appelle Coco, dit l'animal.
Je n'ai rien fait de mal.
Je me suis enfui de mon cirque !
Papa lapin est surpris.
Le singe a l'air si gentil !
– Je viens de loin, d'Afrique,
explique le nouveau venu. Là-bas,
je vivais heureux dans ma tribu.

21 JUIN Un fugitif

Après une telle surprise, Papa
Grandes-Zoreilles a besoin d'un
peu de temps pour recouvrer ses
esprits. Il n'avait jamais vu de singe !
– Eh bien, Coco, dit Papa lapin.
Que fais-tu dans notre bois ?
– Je me suis enfui, explique Coco.
J'étais emprisonné dans une cage. Sauf le soir,
quand il fallait que je fasse toutes sortes de tours
sur la piste du cirque. Tous les jours, sans arrêt…
J'en avais assez ! C'est pourquoi je me suis échappé
à la première occasion.
– Tu t'es enfui de chez les humains ? s'exclame
Papa Grandes-Zoreilles. Nous ne les aimons pas
non plus, au Bois Profond. Tu peux rester avec
nous aussi longtemps que tu le voudras !

22 JUIN   **Plus on est de fous, plus on rit**

Papa Grandes-Zoreilles emmène Coco le singe chez lui.
– Tu peux rester vivre avec nous, Coco, propose
en chemin Papa Grandes-Zoreilles.
– C'est vraiment gentil à vous. Mais je ne vais
pas vous déranger ?
– Pas du tout ! répond Papa lapin.
Quand on a onze enfants, on a toujours de la place
pour une personne de plus !
– Onze enfants !
Coco n'en croit pas ses oreilles.
– Vous devez vous amuser tout le temps,
chez vous, déclare-t-il.
– Eh bien, oui, si on aime la compagnie !
répond Papa lapin en riant.
– Moi, j'adore ça ! s'écrie Coco. Quand
j'habitais chez les humains, j'étais
seul toute la journée dans une cage.
Je n'avais personne à qui parler.
Alors pensez ! Avoir onze enfants autour
de moi, je trouve ça merveilleux !

23 JUIN   **Des moulins à paroles**

Le nouvel arrivé plaît énormément aux enfants
Grandes-Zoreilles. Au début, ils le regardent
avec méfiance. Mais ils se rendent vite compte que
Coco est un ami. Il leur raconte sa vie au cirque.
– C'est une très grande tente. L'après-midi et le soir,
beaucoup de gens entrent dedans. Ils donnent tous
de l'argent, et les hommes et les animaux jouent plein
de tours pour eux.
– Quelles sortes de tours ? demande Jeannot.
– Ouh ! là, là ! Que de questions ! dit Coco en riant.
Vous êtes de vrais moulins à paroles !

120

24 JUIN — Des tours de cirque

— Je vais vous montrer ce que je faisais dans le cirque, dit Coco le singe. Les enfants Grandes-Zoreilles applaudissent avec enthousiasme.
— J'ai besoin de cinq balles, dit Coco. Les enfants Grandes-Zoreilles sont consternés. Ils n'ont pas ce genre d'objet chez eux. Alors, Madame Grandes-Zoreilles demande :
— Coco, des pelotes de laine feraient-elles l'affaire ?
— Mais oui, ce serait parfait ! répond Coco. Et quelques minutes plus tard, il jongle avec les cinq pelotes.

25 JUIN — Apprendre à jongler

— Est-ce que je peux essayer ? demande Gus. Il a regardé Coco en se demandant comment il faisait pour jongler ainsi avec les pelotes.
— Pour commencer, prends-en seulement deux, conseille Coco. Gus prend une pelote verte et une pelote bleue. Mais il n'arrête pas d'en faire tomber une. Gus se rend à la cuisine. C'est la seule pièce où il peut s'entraîner en paix. Une heure plus tard, les pelotes de laine se sont défaites et seules les oreilles de Gus émergent d'un tas de laine déroulée. Toujours aussi maladroit, ce pauvre Gus.

26 JUIN **La nostalgie**

Cela fait une semaine que Coco le singe habite
avec la famille Grandes-Zoreilles. Les premiers jours,
il a adoré sa nouvelle vie. Mais au bout d'un certain temps,
Coco est devenu de plus en plus silencieux.
Un jour, Madame Grandes-Zoreilles lui dit avec douceur :
– Il y a quelque chose qui ne va pas, n'est-ce pas ?
Coco fait oui de la tête. Des larmes coulent de ses yeux noirs.
– Je crois savoir ce que tu as, dit Maman Grandes-
Zoreilles. Ta vie passée te manque.
– C'est vrai. Le cirque me manque, et aussi les
applaudissements des enfants, dit Coco.
– Ça s'appelle de la « nostalgie », explique Maman.
Coco veut son public et les lumières
des projecteurs braquées sur lui
au milieu de l'immense
piste de cirque.

27 JUIN **Bravo, Tom !**

Coco le singe veut retrouver son cirque.
– J'aimerais tant voir les visages heureux des enfants !
dit-il. J'ai rendu beaucoup de gens contents avec
mes tours. Et les applaudissements me manquent !
– Alors, tu veux y retourner ? demande Riquet.
Coco fait oui de la tête et soupire tristement.
– Mais le cirque est parti maintenant et je ne sais pas
où il est allé ! dit Coco.
– J'ai trouvé la solution s'écrie Tom !
Demandons aux oiseaux s'ils peuvent retrouver le cirque.
Quand on vole dans le ciel, on voit très très loin !
Décidément, Tom est très intelligent !

28 JUIN **Au revoir, Coco**

Léon le pigeon écoute.
– Coco le singe s'ennuie de son cirque,
explique Tom. Pourrais-tu voler dans les
environs et nous dire si tu l'aperçois ?
– Crou ! Qu'est-ce que c'est, un singe ?
Et qu'est-ce que c'est, un cirque ?
Tom le lui explique gentiment.
Je sais déjà où ils sont. Tout près d'ici…
Un des chariots a une roue cassée et ils ont
dû s'arrêter pour la réparer.
Tom court annoncer la bonne nouvelle
à Coco. Puis toute la famille
Grandes-Zoreilles l'accompagne
jusqu'aux roulottes.
– Au revoir, Coco ! disent les petits lapins
en faisant de grands signes d'adieu
avec leurs pattes. Ne nous oublie pas !

123

29 JUIN Le rêve de Gus

Coco le singe est resté toute une semaine avec la famille Grandes-Zoreilles
et maintenant, il est parti. Pour toujours, peut-être. Tous les enfants le regrettent.
Mais c'est à Gus qu'il manque le plus. Coco lui a appris à jongler. Maintenant,
enfin, Gus peut faire quelque chose que personne d'autre ne sait faire.
Dire qu'autrefois, il était toujours le plus maladroit de la famille ! À présent,
grâce à Coco, il est le seul à savoir jongler parmi tous les enfants de la Colline Câline.
– Si seulement je pouvais lui dire combien je lui suis reconnaissant ! murmure Gus.
Mais Coco est retourné dans son cirque. Et Gus continue de rêver.
« Si je m'entraîne très souvent, se dit-il, peut-être travaillerai-je
dans un cirque, moi aussi, quand je serai grand. Et alors,
quand les gens m'applaudiront, je les saluerai
bien bas. Si bas que mes oreilles toucheront
le sol. » Gus entend déjà les bravos crépiter
autour de lui.

Les acclamations

Qu'ils domptent les lions,
Ou qu'ils jonglent jusqu'au plafond,
Quoi qu'ils fassent de leurs mains,
Qu'ils bondissent ou pirouettent,
Qu'ils se tiennent sur la tête,
Qu'ils soient dix ou qu'ils soient vingt,
Les gens du cirque ont une seule passion :
Entendre les acclamations !
Les clowns, les magiciens
Les acrobates et les musiciens
N'ont qu'un seul et même souci :
Être applaudis !

1ER JUILLET **Patience**

Ce matin, Zoé part très tôt du terrier. Mais où va-t-elle?
Eh bien, dans un endroit très spécial, qu'elle a découvert
toute seule. Elle peut s'y rendre les yeux fermés parce qu'elle
y est déjà allée très souvent. La voilà sur un sentier qui
mène en haut de la colline. Dans cette partie du bois,
de grands pins poussent entre les buissons. Et entre les pins
croissent de toutes petites plantes. Elles ont des feuilles
vertes très brillantes et des fleurs d'un blanc pur,
avec un cœur jaune. Si vous avez la patience d'attendre
assez longtemps, vous verrez ces cœurs jaunes se changer
en fraises sauvages… Et Zoé, justement, peut attendre
très longtemps. C'est pourquoi elle réussit à cueillir
la première fraise de l'année. Mmmm, délicieuse!

2 JUILLET **De pleins paniers**

Ce matin, Zoé Grandes-Zoreilles trouve
toutes les fraises mûres. La première est
délicieusement sucrée, exactement comme
doit l'être une fraise sauvage.
– Maman! Maman! s'écrie Zoé en rentrant
dans le terrier. Les fraises sont mûres!
Ses frères et sœurs sautent de joie. Les petits lapins
adorent les fraises! Comme ils vont se régaler!
Ils se rendent tous ensemble à l'endroit secret de Zoé,
avec leur sac à dos et des paniers. Là, ils ramassent des
fraises toute la journée, à tel point que les sacs et les
paniers sont remplis à ras bord. Ils ont de la chance.
C'est une bonne année pour les fraises. Il y en a tant
qu'ils ont pu en manger tout en les ramassant.
Et ils ne s'en sont pas privés!

3 JUILLET   **Trop de confiture**

Madame Grandes-Zoreilles a passé la journée dans
la cuisine. Hier, les enfants sont revenus du bois
avec des paniers pleins de fraises. Maman
Grandes-Zoreilles en fait de la confiture.
– Eh bien ! s'écrie-t-elle en s'arrêtant enfin. J'ai assez
de confiture pour les trois prochaines années !
La table de la cuisine est couverte de pots de confiture.
– Rangeons d'abord ceux-ci, décide-t-elle.
Les pots remplissent deux grandes étagères.
— Je ne vais plus avoir de place pour autre chose !
Que vais-je faire ? se demande Maman Grandes-Zoreilles.
Il lui reste encore beaucoup de confiture.
Et elle est très bonne, croyez-moi !

4 JUILLET   **Encore une tartine !**

– Prenez encore une
tartine de confiture,
dit Maman à ses enfants.
– Oh ! Non ! Ne me parle plus
de confiture ! gémit Riquet.
– Vous avez ramassé tant de fraises que j'ai fait
au moins cent pots de confiture, explique-t-elle.
– Pourquoi autant ? s'étonne Riquet.
– Pourquoi ? réplique Maman lapin, vexée.
Parce que je ne pouvais pas laisser moisir tous
ces jolis fruits ! Cela aurait fait un beau gâchis !
Riquet hoche la tête.
C'est vrai, Maman a raison.
Mais il ne peut tout de même plus avaler
la moindre cuillerée de confiture.
« Cent pots ! se dit-il. Cela veut dire que
nous allons en manger pendant au moins un an ! »

5 JUILLET   **Trop de confiture**

– Nous avons trop de pots
de confiture, n'est-ce pas ?
demande Riquet à sa maman.
– Oui, répond Madame
Grandes-Zoreilles.
– Eh bien, je connais un moyen
de résoudre le problème ! s'écrie Riquet.
– Je mettrai une table dehors. Puis
je placerai tous les pots de confiture
en rangée sur la table, comme au
marché. Tous ceux qui voudront de
la confiture devront me donner
quelque chose en échange.
Pas de l'argent, bien sûr, mais
quelque chose à manger. Des
carottes ou des pommes.
Madame Grandes-Zoreilles
trouve que c'est une très
bonne idée.

6 JUILLET   **À vendre !**

– Confiture à vendre !
Fraises bien mûres ! dit
Riquet derrière son éventaire.
– Pour une poire ou une
pomme de terre je vous vends
un pot de confiture.
Venez, approchez !
Pour un chou ou une salade frisée,
vous aurez deux pots délicieux !
À ce prix, tout se vend au mieux.
Riquet est vraiment très doué !
Pour vendre sur le marché.

129

7 JUILLET Trop d'énergie

– Notre Jeannot a vraiment trop d'énergie, se plaint
Madame Grandes-Zoreilles à son mari. Cet enfant
est toujours en train de s'agiter. Il ne peut pas rester
tranquille pendant plus de deux secondes !
– Alors il va falloir trouver de quoi l'occuper, dit Papa
Grandes-Zoreilles. Il finira bien par se fatiguer.
– Si nous lui demandions de couper du bois ? suggère
Maman lapin. Comme cela, il se rendrait utile.
– Non, c'est trop dangereux. Il pourrait se faire mal
avec la hache. Pourquoi ne pas le faire courir trois fois
autour de la Colline Câline ?
Maman Grandes-Zoreilles ne semble pas convaincue.
– Jeannot a couru autour de la Colline Câline au moins
dix fois, ce matin, et il n'est même pas fatigué ! dit-elle.
Que faire, alors ? Jeannot est vraiment un cas à part !

8 JUILLET Un jardinier zélé

Madame Grandes-Zoreilles réfléchit
longuement. Qu'est-ce qui pourrait
enfin venir à bout de l'énergie
de Jeannot ? Cet enfant doit apprendre
à se calmer ! Soudain, elle a une idée.
Son fils pourrait l'aider au potager !
Bientôt, tous les deux sont très occupés.
Jeannot va et vient avec la lourde brouette.
Il sarcle et désherbe, et fait de son mieux.
Au bout d'un moment, Madame
Grandes-Zoreilles doit s'absenter.
– Je reviens tout de suite, dit-elle à Jeannot.
Pendant ce temps, creuse donc quelques trous
pour planter les laitues.
« Génial ! » se dit Jeannot. Voilà qui lui convient
tout à fait. Mais avec son énergie,
jusqu'où va-t-il creuser ?

130

9 JUILLET **Où suis-je?**

Jeannot fait un trou pour repiquer une laitue. Il creuse la terre en profondeur, à l'aide de ses pattes. Il creuse sans répit et s'enfonce tout entier sous la terre! Jeannot ne pense plus qu'à son travail. Il ne remarque même pas que tout devient sombre autour de lui. Au bout d'un quart d'heure, le petit lapin lève la tête pour regarder autour de lui. Mais il ne reconnaît plus rien.
– Où suis-je? s'écrie-t-il. Ce n'est pas le potager de ma maman! Avec toute son énergie, Jeannot a creusé un tunnel!

10 JUILLET **Le tunnel**

Monsieur Lapinou, le voisin, est furieux. Son jardin était le plus beau de toute la Colline Câline. Et Jeannot Grandes-Zoreilles y a fait un énorme trou! Quel saccage!
– Petit galopin! grommelle Monsieur Lapinou. Tu vas remettre la terre dans le tunnel. Jeannot passe la journée à le reboucher. C'est un travail si dur que le soir, il est complètement épuisé.

131

11 JUILLET **La permission?**

Charlie et Gus Grandes-Zoreilles veulent
partir en exploration dans le bois.
Madame Grandes-Zoreilles hésite.
Charlie est tellement rêveur et Gus
tellement maladroit!
– D'accord, dit Maman qui n'a pas le
courage de leur refuser.
Mais, dès que Charlie et Gus sont partis,
elle appelle Tom. Il est très raisonnable.
C'est pourquoi elle lui demande de
suivre ses frères en secret. Ils croiront
qu'ils sont tout seuls. Maman se
sentira bien plus tranquille.

12 JUILLET **Une ombre**

Tom Grandes-Zoreilles se glisse
dans le bois aussi discrètement
qu'un guerrier indien.
Tom suit ses frères en marchant sur
la pointe des pieds. Il se cache derrière
les arbres et les buissons. Pas question
non plus qu'on le voit!
Tom trouve cela très amusant!
Il devrait pourtant regarder
autour de lui, car lui aussi,
il est suivi. Une ombre silencieuse,
couleur de rouille, ne le quitte
pas depuis tout à l'heure.
Et qui cela peut-il être,
à votre avis?
C'est Goupilou
le Rouquin!

13 JUILLET **Une corde!**

Tom ne se doute pas le moins du monde que Goupilou le suit. Soudain, il aperçoit la fourrure du renard. Aussitôt, il se met à courir, mais Goupilou se rapproche de plus en plus. Soudain, il voit une corde pendre d'une branche. Sans réfléchir, il l'attrape et se dépêche de grimper. Ouf! Sauvé! Une fois en sécurité, Tom voit devant lui deux visages qu'il connaît bien. Deux petits lapins souriants. Charlie et Gus!
– Maman t'a envoyé pour nous surveiller ? demande Charlie.
– Oui, répond Tom. Mais c'est vous qui m'avez sauvé!

14 JUILLET **Des herbes de beauté**

Ce matin, de très bonne heure, Maman Grandes-Zoreilles marche
dans le bois avec Roberta et Margot. Elle vont ramasser des
herbes pour fabriquer des remèdes. Les herbes sont meilleures
quand on les cueille juste avant l'aube. Roberta trébuche,
à moitié endormie. Margot semble grognon. Elle n'a pas
du tout envie de se promener de si bon matin !
– Maudites herbes ! marmonne-t-elle.
– Que dis-tu là, ma fille ? demande sa mère. Tu ne sais
donc pas à quel point ces herbes sont utiles ?
Certaines soignent des maladies et d'autres
rendent plus jolie.
Plus jolie ? Margot cesse de ronchonner et
court ramasser des herbes de beauté…

15 JUILLET **Les herbes**

Baies sauvages et romarin.
Sauge, menthe, laurier et thym.
Voilà les herbes du matin.
Pour les trouver, il faut sortir.
Et à l'aube les cueillir.
Dans l'eau chaude servir.
Et buvez-en pour guérir.
Alors sortez de bon matin
Chercher le laurier et le thym !

16 JUILLET **Un remède**

– Pourquoi ramasse-t-on toutes ces herbes,
Maman? demande Roberta.
– J'en utilise quand je fais la cuisine, explique
Maman Grandes-Zoreilles. Elles donnent un arôme
aux plats que nous mangeons.
– Comme le persil dans la soupe? demande Roberta.
– Exactement! répond Maman lapin. J'utilise aussi
des herbes quand vous êtes malade.
– Oui, je sais, dit Margot.
La potion de sa maman contre la toux a très
mauvais goût. Personne n'a envie d'en prendre
deux fois, alors on se dépêche de guérir. C'est
sans doute le plus efficace des remèdes!

17 JUILLET **Une plante sensible**

Madame Grandes-Zoreilles, Roberta et Margot
ont des paniers remplis d'herbes.
– Regarde, Maman! s'écrie Margot en voyant une très jolie
herbe fleurie. As-tu déjà ramassé cette plante?
Elle étend le bras et va prendre la tige dans ses doigts,
mais quelque chose d'étrange se produit.
La plante se recroqueville avec toutes ses fleurs.
– Elle n'aime pas qu'on la touche!
dit Margot, surprise.
Madame Grandes-Zoreilles éclate de rire.
Margot croyait avoir trouvé une herbe
de beauté!

18 JUILLET   **Au revoir !**

Aujourd'hui, le plus proche voisin des Grandes-Zoreilles, Monsieur Lapinou, porte un short et une chemise de couleur vive. Il a même des lunettes de soleil.

– Monsieur Grandes-Zoreilles, dit-il, voici la clé de notre maison. Pourriez-vous arroser nos plantes pendant que nous serons en vacances ?

– Avec plaisir, dit Papa Grandes-Zoreilles, toujours prêt à aider ses voisins. Où allez-vous, cette année ?

– Chez un de mes cousins éloignés, Louis le lièvre. Il vit à trois jours d'ici en direction de l'est.

– Eh bien ! C'est vraiment très loin ! dit Papa Grandes-Zoreilles. Vous feriez mieux de partir tout de suite.

– En effet, réplique Monsieur Lapinou. Au revoir, et merci !

Il rabat ses lunettes de soleil sur son nez et s'en va avec sa femme et ses sept enfants.

19 JUILLET   **Encore trois semaines**

– Pourquoi ne partons-nous jamais en vacances ? demande Riquet Grandes-Zoreilles à son papa.

– Cela te ferait plaisir ?

– Oui, dit Riquet. J'aimerais découvrir d'autres paysages et me faire de nouveaux amis.

– Mais nous sommes treize, explique Papa Grandes-Zoreilles. Où dormirions-nous ? Il nous faut beaucoup de place !

Riquet n'avait pas pensé à ça.

– De toute façon, dit Papa lapin, nous ne pouvons pas partir tout de suite. J'ai promis à Monsieur Lapinou de surveiller son terrier pendant les trois prochaines semaines. Si d'ici là, tu as trouvé une solution, nous partirons.

Au travail, Riquet !

20 JUILLET   Un camp de vacances

La famille Grandes-Zoreilles ne part jamais en vacances.
– Je suis bien mieux à la maison ! dit Papa Grandes-Zoreilles.
Mais ses enfants ne sont pas de son avis.
Alors Papa Grandes-Zoreilles a bâti des huttes.
Il veut faire un grand feu de camp. Comme cela,
les enfants auront l'impression d'être
partis en vacances.
Les enfants Grandes-Zoreilles
vont avoir leur propre camp
de vacances !

21 JUILLET   **Deux fois deux jumeaux**

Voir des jumeaux, parfois
C'est comme de voir double.
Mais chez les Grandes-Zoreilles, ma foi
On y voit encore plus trouble !
Hip et Hop, vous les connaissez, je crois.
Voyez leurs costumes à pois…
Eh bien, leur papa aussi a un jumeau.
Et ils se ressemblent comme deux gouttes d'eau !

22 JUILLET   **Comme c'est bizarre !**

Hip et Hop Grandes-Zoreilles jouent dehors. Tout d'un coup,
ils aperçoivent leur papa.
– Coucou, Papa !
– Bonjour, petits ! Vous avez l'air bien gentils ! Sauriez-vous
où se trouve le terrier de la famille Grandes-Zoreilles ?
Hip et Hop se regardent, tout étonnés.
Papa doit leur jouer un tour ! Alors Hip dit :
– Oui, monsieur ! Il se trouve au même endroit qu'hier !
– Petits chenapans ! s'écrie leur papa. Vous ne pouvez donc
pas répondre poliment ?
Cette fois, Hip et Hop n'y comprennent rien du tout !
Papa est-il devenu fou ?

23 JUILLET **Deux papas!**

– Crois-tu que Papa a reçu un coup sur la tête? demande Hip Grandes-Zoreilles, très inquiet, à sa sœur Hop. On dirait qu'il ne nous reconnaît pas. Peut-être que ce coup lui a fait perdre la mémoire! Mais sa sœur ne répond pas. Elle lui montre du doigt quelque chose derrière eux. Hip se retourne et écarquille les yeux. C'est incroyable! Quand il regarde à gauche, il voit son père. Mais il le voit aussi quand il regarde à droite!
– Deux papas? marmonne-t-il.
C'est impossible! Cela veut dire que quand je ferai une bêtise, je serai puni deux fois!

24 JUILLET **Tonton Siméon**

Hip et Hop ne comprennent pas du tout ce qui se passe. Ils sont là, entre deux papas! Puis, l'un dit:
– Siméon! Quel plaisir de te voir!
– Pierre! Comment vas-tu?
Hip et Hop savent maintenant que l'un d'eux n'est pas leur papa. Ce dernier s'appelle Pierre et non Siméon!
– Les enfants, voici mon frère jumeau, Siméon, explique enfin Papa Grandes-Zoreilles. Leur tonton se met à rire.
– Maintenant, je comprends tout! s'écrie-t-il. Tes enfants m'ont pris pour toi!

25 JUILLET   Un marin

Le frère de Monsieur Grandes-
Zoreilles est marin. C'est pourquoi
il part souvent et durant de très longues périodes. Si longtemps,
en fait, que les plus jeunes des enfants Grandes-Zoreilles ne l'ont
jamais rencontré. Seule Zoé se jette dans les bras de son oncle.
– Bonjour, tonton Siméon ! Comment vas-tu ?
– Très bien, ma petite. Très bien ! dit Siméon en riant. Du moins, je
pourrais dire cela quand votre maman m'aura fait une tasse de café.
– Du café ? demande Madame Grandes-Zoreilles, ennuyée.
Personne ne sait ce que c'est sur la Colline Câline. Les lapins
boivent des jus de fruits ou du lait.
– Le café vient d'un pays très lointain, très chaud explique-t-il.
J'ai trouvé cette boisson si bonne que j'en ai ramené. Je vais
vous montrer comment le préparer.

26 JUILLET   Un oncle formidable

Les onze enfants Grandes-Zoreilles
adorent leur oncle Siméon. Il sait toujours
comment résoudre un problème. Et il apprend
à Gus comment dresser ses oreilles. Après quelques
jours d'exercice, elles ne tombent déjà plus autant.
– Tonton Siméon est formidable ! dit Riquet.
– Il est aussi courageux et intelligent que Robin
le Lapin, renchérit Jeannot.

27 JUILLET Des pompes

– Je veux devenir aussi grand et fort que toi, dit Riquet à tonton Siméon.
– Dans ce cas, il va falloir t'entraîner tous les jours ! déclare tonton Siméon. Il faut courir, sauter et faire des pompes.
– Des pompes ? demande Charlie, qui ne comprend pas ce mot.
– On fait des pompes en s'allongeant sur le sol, à plat ventre. Ensuite, on place ses pattes près des oreilles et on se repousse du sol. Durant cet exercice, il faut garder le corps aussi droit qu'un bâton. Les enfants Grandes-Zoreilles essaient aussitôt, mais c'est loin d'être facile !

28 JUILLET L'examen

Les enfants Grandes-Zoreilles se sont entraînés très dur toute la semaine.
– Aujourd'hui, je vais voir où vous en êtes, dit tonton Siméon.
– Oh ! Oui ! On va bien s'amuser ! crient les petits lapins.
– Commençons par… le premier qui m'apportera une pomme, dit tonton Siméon. Les onze enfants Grandes-Zoreilles se précipitent tous en même temps dans toutes les directions. Au bout de quelques secondes, voilà tonton Siméon étendu sur l'herbe, en train de croquer une des nombreuses pommes que les enfants lui ont rapportées. Drôle d'examen ! Je me demande si tonton Siméon n'avait pas faim, tout simplement !

29 JUILLET **Naviguer**

– J'aimerais bien naviguer un jour, dit Gus.
– Nous allons construire un radeau ensemble,
près de la mare. Puis je t'apprendrai à le piloter,
lui dit tonton Siméon.
L'oncle et le neveu vont tout de suite à la mare.
Tonton Siméon a apporté de la corde, des clous et
un drap. Pour la coque ils vont réunir de grosses
branches avec quelques planches clouées dessus.
– Il faut des branches solides, dit tonton.
Lorsque leur radeau est terminé,
il fait presque nuit.
– Nous l'essaierons demain, dit Gus.

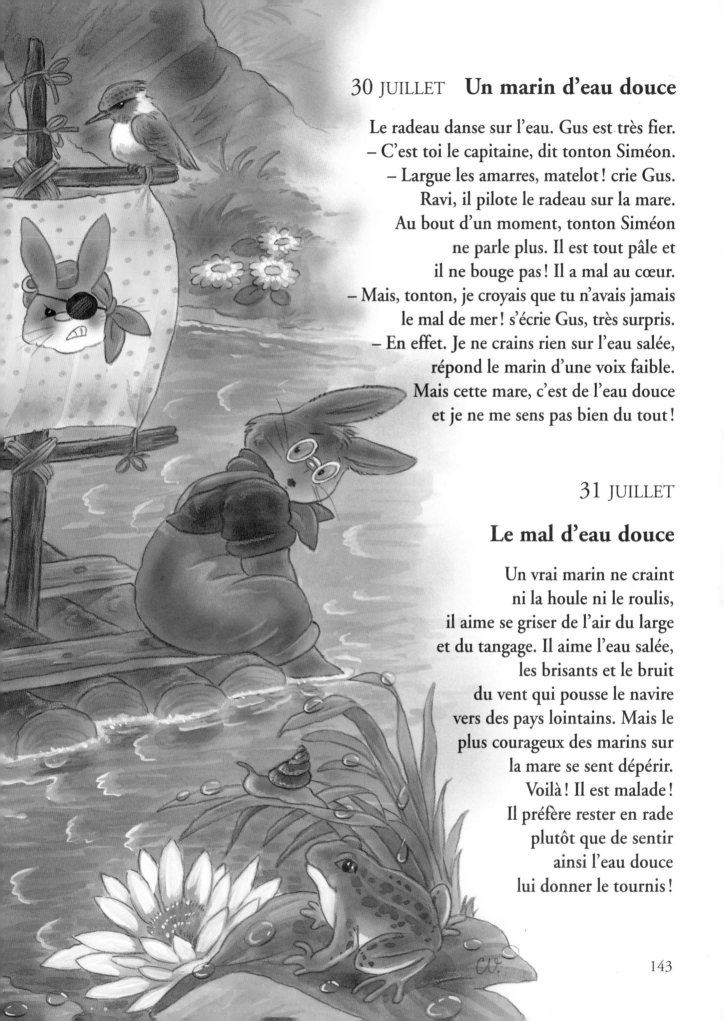

30 JUILLET **Un marin d'eau douce**

Le radeau danse sur l'eau. Gus est très fier.
– C'est toi le capitaine, dit tonton Siméon.
– Largue les amarres, matelot ! crie Gus.
Ravi, il pilote le radeau sur la mare.
Au bout d'un moment, tonton Siméon
ne parle plus. Il est tout pâle et
il ne bouge pas ! Il a mal au cœur.
– Mais, tonton, je croyais que tu n'avais jamais
le mal de mer ! s'écrie Gus, très surpris.
– En effet. Je ne crains rien sur l'eau salée,
répond le marin d'une voix faible.
Mais cette mare, c'est de l'eau douce
et je ne me sens pas bien du tout !

31 JUILLET

Le mal d'eau douce

Un vrai marin ne craint
ni la houle ni le roulis,
il aime se griser de l'air du large
et du tangage. Il aime l'eau salée,
les brisants et le bruit
du vent qui pousse le navire
vers des pays lointains. Mais le
plus courageux des marins sur
la mare se sent dépérir.
Voilà ! Il est malade !
Il préfère rester en rade
plutôt que de sentir
ainsi l'eau douce
lui donner le tournis !

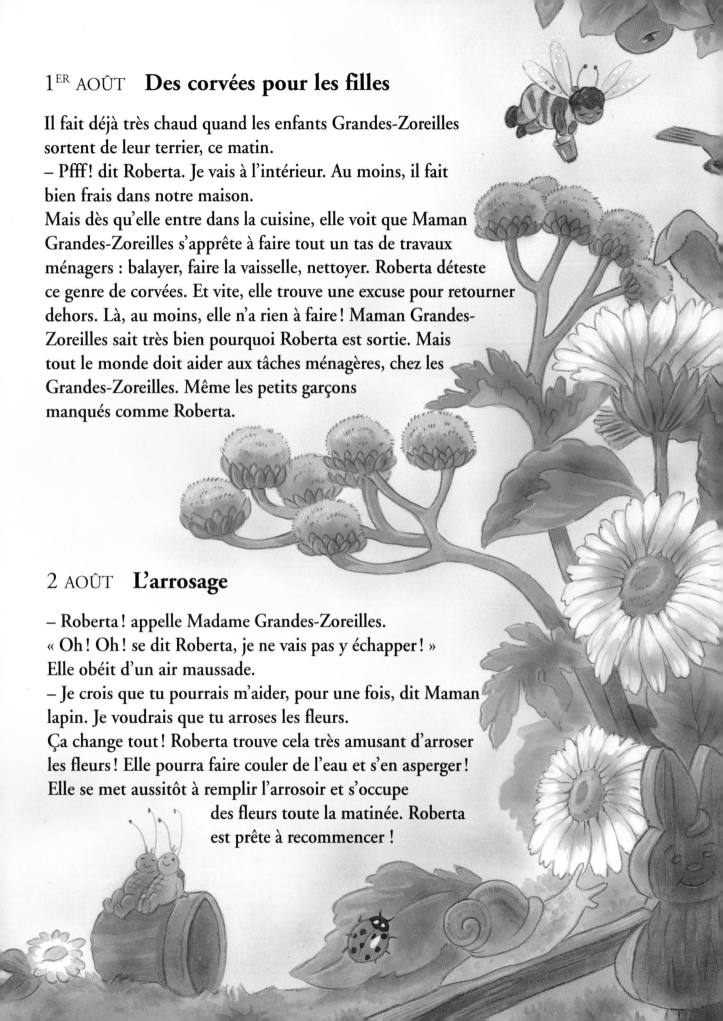

1ᴱᴿ AOÛT Des corvées pour les filles

Il fait déjà très chaud quand les enfants Grandes-Zoreilles sortent de leur terrier, ce matin.

– Pfff! dit Roberta. Je vais à l'intérieur. Au moins, il fait bien frais dans notre maison.

Mais dès qu'elle entre dans la cuisine, elle voit que Maman Grandes-Zoreilles s'apprête à faire tout un tas de travaux ménagers : balayer, faire la vaisselle, nettoyer. Roberta déteste ce genre de corvées. Et vite, elle trouve une excuse pour retourner dehors. Là, au moins, elle n'a rien à faire ! Maman Grandes-Zoreilles sait très bien pourquoi Roberta est sortie. Mais tout le monde doit aider aux tâches ménagères, chez les Grandes-Zoreilles. Même les petits garçons manqués comme Roberta.

2 AOÛT L'arrosage

– Roberta ! appelle Madame Grandes-Zoreilles.

« Oh ! Oh ! se dit Roberta, je ne vais pas y échapper ! »

Elle obéit d'un air maussade.

– Je crois que tu pourrais m'aider, pour une fois, dit Maman lapin. Je voudrais que tu arroses les fleurs.

Ça change tout ! Roberta trouve cela très amusant d'arroser les fleurs ! Elle pourra faire couler de l'eau et s'en asperger !

Elle se met aussitôt à remplir l'arrosoir et s'occupe des fleurs toute la matinée. Roberta est prête à recommencer !

3 AOÛT **Un guerrier indien**

Jadis, sur un mont lointain,
Vivait un guerrier indien.
Son nom est resté dans la légende,
Dans les forêts, les lacs et la lande.
Il portait une coiffure de plumes
Et peignait ses joues de rayures rouges.
Avez-vous entendu parler de Peau Rouge,
Qui chassait les daims dans la brume ?

4 AOÛT **Les Peaux-Rouges**

– Dis, tonton Siméon, raconte-nous
tes aventures, supplient les petits
Grandes-Zoreilles, encore et encore.
Ils adorent les histoires de leur oncle.
Ils écoutent, sages comme des images,
quand il leur raconte une de ses incroyables
aventures dans les pays lointains.
– Vous ai-je déjà parlé des lapins Peaux-Rouges ?
demande tonton Siméon.
– Des lapins Peaux-Rouges ? Non ! Où vivent-ils ?
demande Riquet.
– Très loin d'ici. Là où la terre est couverte de
grands lacs et de forêts, à perte de vue. Les
lapins indiens habitent dans des tentes
appelées tipis et portent des plumes
sur la tête. C'est aussi joli que
des casquettes et des bonnets !

5 AOÛT   Un arc et des flèches

Saviez-vous que les lapins Peaux-Rouges chassent avec des arcs et des flèches ? Riquet sort discrètement pendant que tonton Siméon continue de raconter son histoire. Le petit lapin veut avoir un arc pour chasser, lui aussi ! Il fabrique son arme avec un morceau d'élastique et une branche courbe. Alors, il lance des flèches très haut dans le ciel.

6 AOÛT   Des plumes

Riquet Grandes-Zoreilles a fabriqué un arc et des flèches. Il s'entraîne à tirer.
– À quoi joues-tu, Riquet ? demande tonton Siméon.
– Je… euh… Je m'entraîne à être un Indien.
– Mais tu as besoin de plumes pour cela ?
– Je ne mettrai jamais de plumes sur la tête ! Il ne s'agit pas de ça ! Les lapins indiens mettent des plumes au bout de leurs flèches, pour qu'elles volent très haut. Riquet est soulagé. Il se voyait mal avec des plumes sur la tête, comme un oiseau.

7 AOÛT **Adieu !**

Adieu à celui qui part en mer !
Je reste sur le quai, amer.
Pourquoi demeurer à terre,
Quand je voudrais tant embarquer ?
Hélas ! Tonton s'en va, je reste à quai.

8 AOÛT **Reste, s'il te plaît !**

– Pourquoi dois-tu déjà repartir ? demande Zoé.
– Tu sais, je suis devenu marin parce que je ne peux
pas rester longtemps au même endroit. J'ai
des fourmis dans les jambes, au bout d'un
moment, et il faut que je m'en aille,
même si je suis très bien ici.
Zoé retient courageusement ses larmes.
Elle n'arrive pas à comprendre son
tonton ! Pourquoi quitter la Colline
Câline et tous ceux qui l'aiment ?

148

9 AOÛT **Tonton s'en va!**

Les enfants Grandes-Zoreilles ont du chagrin. Leur tonton Siméon s'en va aujourd'hui. Il repart en mer.
– Allons, les enfants, dit Papa Grandes-Zoreilles au petit déjeuner. Siméon reviendra, ne vous inquiétez pas. J'ai une surprise qui devrait vous remonter le moral. Les petits redressent la tête, les yeux brillants de joie.
– Qu'est-ce que c'est, Papa? Vas-y, dis-nous!
– Eh bien, dit-il d'un ton solennel, nous allons tous accompagner tonton Siméon jusqu'à son bateau pour lui dire au revoir. Cela nous fera une journée de vacances.
Et au bord de la mer, en plus!
Youpi! Voilà une surprise formidable!

10 AOÛT **Le bateau**

Les enfants Grandes-Zoreilles sont très contents d'accompagner tonton Siméon à son bateau. Tonton Siméon les laisse même monter à bord. Ils visitent sa cabine.
– Quel petit lit tu as! s'écrie Tom. Tu ne tombes pas par terre, lorsqu'il y a des tempêtes?
Tonton Siméon éclate de rire.
À la fin de l'après-midi, le bateau lève l'ancre.
Au revoir, tonton! Reviens vite!

11 AOÛT **On s'ennuie**

– Ce qu'on s'ennuie sans tonton Siméon, soupira
Jeannot Grandes-Zoreilles.
Ses frères et sœurs sont tous d'accord avec lui. Ils se sont
merveilleusement amusés avec leur oncle. Il inventait
toujours de nouveaux jeux et leur racontait des
histoires extraordinaires. Maintenant que tonton
Siméon est parti, les petits lapins doivent trouver
comment s'occuper. Tout d'un coup, quelqu'un
toussote discrètement derrière eux.
– Eh bien, mes petits lapins, dit Papa Grandes-
Zoreilles d'un air malicieux, vous n'allez
pas rester assis là à ne rien faire !
Mais que cache Papa derrière
son dos ?

12 AOÛT **Des cerfs-volants**

– Tonton Siméon a laissé quelque
chose, dit Papa Grandes-Zoreilles.
Et il tire de derrière son dos des losanges
de papier de toutes les couleurs, avec de
longues ficelles et des rubans.
– Des cerfs-volants ! s'écrient les petits lapins.
Aussitôt, ils se rendent dans un grand pré, parce
qu'il faut de l'espace pour faire voler un cerf-volant.
Les enfants choisissent chacun le leur. Il y a un
cerf-volant jaune avec un soleil, un bleu avec une
mouette, un vert avec des étoiles et beaucoup
d'autres encore. Ils sont tous beaux !

13 AOÛT   **Un spectacle merveilleux**

Les petits Grandes-Zoreilles attendent sagement dans le pré, à la queue leu leu. Dans leurs mains, ils tiennent les cerfs-volants que leur a laissés tonton Siméon. Maintenant, ils vont apprendre à s'en servir. Papa lapin va les aider.
– Tenez le fil bien solidement, explique Papa. Puis courez avec le cerf-volant à l'autre bout du pré. Levez le bras très haut, surtout. Et tirez sur la ficelle dès que le vent fera monter le cerf-volant ! Après quelques tentatives infructueuses, les petits lapins parviennent à les faire voler. Papa Grandes-Zoreilles lève les yeux et voit les cerfs-volants de toutes les couleurs dansant dans le ciel. C'est un spectacle merveilleux. Merci, tonton Siméon !

14 AOÛT   Des moutons

– Aujourd'hui, dit Maman Grandes-Zoreilles, nous allons voir les moutons dans le pré du fermier ! En fait, il faut aller chercher de la laine. Il y en a beaucoup sur les fils de fer barbelé, autour du pré du père Durand, le fermier. La laine reste accrochée sur le fil de fer barbelé chaque fois que les moutons passent à côté de la clôture. Si tous les enfants travaillent dur, ils pourront ramasser beaucoup de laine en un seul après-midi. Assez pour faire de nouveaux pulls pour toute la famille !

15 AOÛT   Les pull-overs

Les Grandes-Zoreilles marchent l'un derrière l'autre vers le pré où ils vont ramasser de la laine. Bibi lambine en arrière.
– Allez, Bibi ! Dépêche-toi ! dit Papa Grandes-Zoreilles. Mais, Bibi est toujours très loin derrière.
– Il fait beaucoup trop chaud pour ramasser de la laine, gémit Bibi.
– Vous grandissez tous tellement vite qu'il vous faut des pull-overs neufs, explique-t-elle. Et je dois les tricoter avant que l'hiver n'arrive, lui explique maman.

16 AOÛT **Cours vite!**

Les Grandes-Zoreilles ramassent la laine, en faisant bien attention de ne pas se piquer sur les fils de fer barbelé. Ils ont très chaud! Le travail est très fatigant. Il faut prendre la laine, avancer un peu plus loin et recommencer.
Bibi en a assez! Soudain, il a une idée. Les moutons du père Durand paissent un peu plus loin. Bibi choisit le mouton avec le plus de laine et tire sur la toison.
Bêêêê! Bêêêê! Le mouton a très peur et se met à le poursuivre.
Bibi court à toute allure.
Heureusement, le mouton a beaucoup trop chaud pour courir.

17 AOÛT

La baignade

Il fait vraiment très chaud aujourd'hui. Plus de trente degrés
– Impossible de travailler par une telle température, décide
Papa Grandes-Zoreilles. Il fait un temps à aller se baigner.
Alors tout le monde prend son maillot de bains et
Maman met des serviettes dans un grand sac de plage.
Puis la famille entière se dirige vers la mare.
– Nous étendrons nos serviettes de bains
sur l'herbe, dit Papa.
Mais les enfants ne l'écoutent pas.
Ils courent déjà vers
la mare et plongent
dans l'eau fraîche.

18 AOÛT

Une leçon de natation

Le crawl ou la brasse papillon,
Nage toujours avec application.
Le nez dans l'eau ou hors de l'eau,
À plat ventre ou sur le dos !

154

19 AOÛT

Nage bien !

On inspire, on expire !
On avance !
Attention à la cadence,
Un, deux, on respire !
Le canard,
Patauge dans la mare.
Le lapin,
nage à fond de train !

20 AOÛT

Pas si froide…

Margot Grandes-Zoreilles se tient au bord de la mare. Elle ne veut pas aller plus loin. Sinon, son joli maillot de bains rose sera mouillé ! Que les autres s'éclaboussent s'ils le veulent ! Tout à coup Riquet vide un seau d'eau sur Margot ! Maintenant, elle est complètement trempée.
– Vilain ! Méchant ! s'écrie Margot. Elle poursuit son frère, dans l'eau. Et finalement, elle trouve cela très agréable de nager. L'eau n'est pas si froide, après tout…

21 AOÛT Le pays des fées

Tom Grandes-Zoreilles s'éveille en sursaut, en pleine nuit. Il a fait un mauvais rêve. Il se lève pour aller boire de l'eau. Quand il arrive dans l'entrée, il voit une lumière brillante sous la porte d'entrée, comme s'il faisait jour !
« Comment est-ce possible ? se demande Tom. Curieux, il ouvre la porte. Puis il comprend. C'est presque la pleine lune et ses puissants rayons d'argent éclairent le Bois Profond. Il fait nuit et pourtant, on y voit presque comme en plein jour ! « On se croirait au pays des fées », se dit Tom, émerveillé.

22 AOÛT Pleine lune

Tom Grandes-Zoreilles est très énervé, ce matin. Tout en prenant son petit déjeuner, il n'arrête pas de parler.
– Ce soir, c'est la pleine lune ! Tous les ans, les lapins de la Colline Câline font une fête : la fête de la Lune d'Été. Ils se réunissent, font un grand feu de camp et chantent des chansons jusqu'à l'aube. C'est la plus belle fête de l'année !

23 AOÛT **La fête**

Un grand feu de bois brûle en haut de la Colline Câline. Les rayons de la pleine lune éclairent toute la colline. Sous cette douce lumière, les lapins dansent une ronde autour du feu. On raconte que tout lapin qui danse cent fois autour d'un feu de camp, sous la lumière de la pleine lune, deviendra aussi courageux que Robin le Lapin. Bien sûr, certains ne croient pas cette histoire. Mais, ils s'amusent tellement qu'ils ne comptent même plus leurs tours autour du feu ! De nombreux lapins sont persuadés que tout cela est vrai. Même Goupilou le Rouquin y croit. Ce soir, il regarde la fête, sans oser s'approcher. Tant de Robin, cela fait vraiment peur !

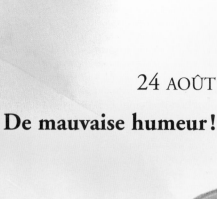

De mauvaise humeur !

Hip et Hop se sont couchés beaucoup trop tard, hier soir. Ils sont restés jusqu'à la fin de la fête de la Lune d'Été. Et, ensuite ils ont bavardé pendant des heures. Hip a eu un mal fou à se lever et Hop s'est endormie au petit déjeuner. Pendant que leurs frères et sœurs jouent gaiement dehors, Hip et Hop ronchonnent sous un arbre.

– Eh bien ! dit le merle. Vous êtes de bien mauvaise humeur, ce matin, mes petits lapins !

25 AOÛT   **Trop de bruit !**

– Hip et Hop sont vraiment bizarres, aujourd'hui, dit Papa Grandes-Zoreilles à sa femme.

– Ils n'ont pas assez dormi, explique-t-elle.

– Dans ce cas, il faut qu'ils rattrapent leur sommeil, décide Papa.

Il envoie les jumeaux se coucher. Malgré leur fatigue, Hip et Hop n'arrivent pas à s'endormir.

– Il y a beaucoup trop de bruit ! se plaint Hip.

– Et beaucoup trop de lumière, gémit Hop. Cela donne une idée à Hip.

– Viens, Hop ! dit-il. Prends tous les oreillers. Hop est très intriguée, mais elle obéit. Que veut faire Hip avec tous ces oreillers ?

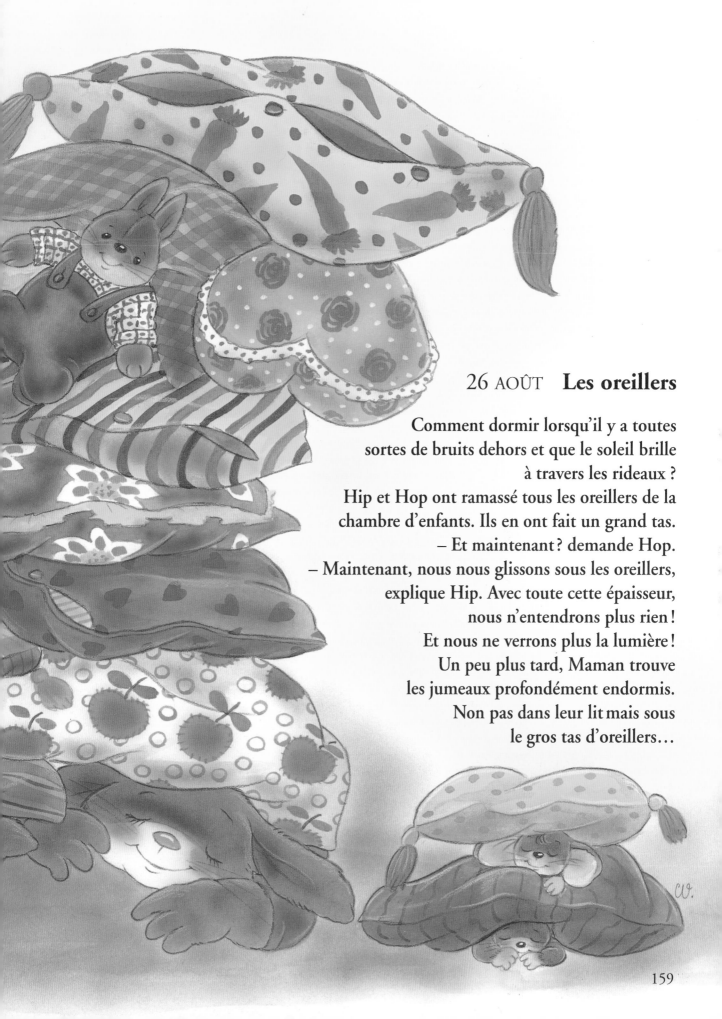

26 AOÛT **Les oreillers**

Comment dormir lorsqu'il y a toutes
sortes de bruits dehors et que le soleil brille
à travers les rideaux ?
Hip et Hop ont ramassé tous les oreillers de la
chambre d'enfants. Ils en ont fait un grand tas.
– Et maintenant ? demande Hop.
– Maintenant, nous nous glissons sous les oreillers,
explique Hip. Avec toute cette épaisseur,
nous n'entendrons plus rien !
Et nous ne verrons plus la lumière !
Un peu plus tard, Maman trouve
les jumeaux profondément endormis.
Non pas dans leur lit mais sous
le gros tas d'oreillers…

27 AOÛT · **Des épines**

Elles aiment se cacher sous les feuilles
En attendant qu'on les cueille.
Ce sont les mûres noires et juteuses
Les jolies baies bien pulpeuses…
Mais gare à leurs armes pointues !
Des ronces, des épines touffues
Veillent autour des belles baies mûres,
Et laissent des d'égratignures !

28 AOÛT · **Les mûres**

Charlie et Tom
adorent les mûres. Le seul
problème, c'est qu'elles sont
difficiles à cueillir à cause de
leurs épines.
Alors Tom creuse un tunnel
sous le mûrier sauvage.
Comme ça, son frère et
lui peuvent manger
autant de mûres
qu'ils le veulent !
Bien joué, Tom !

160

29 AOÛT Goupilou a faim

Goupilou le Rouquin rôde autour des mûriers.
Tout à coup il sent une odeur qu'il connaît bien.
Des lapins ! Il y a des lapins par ici !
Soudain, il aperçoit Tom et Charlie en train
de jouer non loin du mûrier.
Miam ! Goupilou en a déjà l'eau à la bouche. Voilà un
bon déjeuner ! Il s'approche tout doucement…
En le voyant, Tom et Charlie sont terrifiés.
Tom attrape son frère par le col et l'entraîne vers le tunnel
qu'ils ont creusé. Quelques secondes plus tard,
ils sont bien à l'abri au milieu
des ronces…

30 AOÛT **Le courrier**

– Toc! Toc! Toc!
Gaspar, le pigeon voyageur, tape du bec contre
la porte du terrier des Grandes-Zoreilles.
– Bonjour, Gaspar! As-tu des lettres pour nous?
demande Papa lapin.
Gaspar sort une carte postale de son sac.
Monsieur Grandes-Zoreilles sourit,
– Les enfants! s'écrie-t-il. Il y a une carte
de tonton Siméon! Il est en Afrique,
maintenant. Nous lui manquons.
Il viendra peut-être nous voir
à Noël.

31 AOÛT **Les lettres**

Je t'écris une lettre
Car je pense à toi,
Malgré tous les kilomètres
Qui nous séparent toi et moi.
Ma lettre te rend-elle content ?
Quand tu es triste, souviens t'en !
Prends une plume et écris-moi
Une longue lettre chaque mois.

1ᴱᴿ SEPTEMBRE **Malade?**

– Je me demande bien ce qu'a Bibi, dit Maman lapin.
Son fils n'a pas l'air d'aller bien. Il a de grands cernes sous les yeux
et se traîne en somnolant depuis plusieurs jours.
– Cet après-midi, Bibi, tu vas faire la sieste!
Aussitôt après le déjeuner, Bibi va se mettre au lit
sans discuter.
Maman et Papa lapin n'y comprennent rien.
Dehors, il fait très beau. D'ordinaire, leurs
enfants ne veulent jamais faire la sieste
par un temps pareil…
Décidément, Bibi a un problème!

2 SEPTEMBRE **Le rossignol**

Bibi n'est pas malade, il est seulement
fatigué. La nuit, pendant que tout le
monde dort, il se lève et se glisse dehors
pour s'asseoir sous un grand chêne.
Chaque soir, un petit oiseau se perche sur
une branche, très haut dans l'arbre. Son
plumage est sombre et terne. Cet oiseau n'a
rien d'extraordinaire mais dès qu'il se met à
chanter, il produit des sons merveilleux qui
donnent la chair de poule. Cet oiseau
s'appelle un rossignol.
« Si seulement je pouvais chanter aussi bien
que lui! » se dit Bibi en regagnant son lit.
Épuisé, il s'endort tout de suite. Il rêve
qu'il chante aussi magnifiquement
que le petit oiseau.

3 SEPTEMBRE **La moisson**

– Mes enfants, en cette période
de l'année, il y a beaucoup de choses
à faire, déclare Papa Grandes-
Zoreilles à toute la maisonnée.
Le maïs est mûr et les choux
sont verts. Il est temps
de moissonner nos provisions
pour l'hiver.

4 SEPTEMBRE **Le travail**

Nous travaillerons dur toute la nuit.
Pas question de s'activer à demi !
Nous tirerons et porterons,
Couperons, arracherons. Mais attention !
Le fermier ne doit se douter de rien.
Il aime ses champs et déteste les lapins !

5 SEPTEMBRE La liste

Monsieur Grandes-Zoreilles a fait une liste des choses à faire :
tout d'abord, réparer la charrette pour rapporter les choux dans le terrier.
— Préparons des sandwiches. Nous allons travailler dur, ce soir.
— Mais, demande Gus, perplexe, pourquoi ne pas manger les choux dans les champs ?
— Il faut les garder pour l'hiver, dit Papa. Je vous interdis d'y toucher. Sinon, vous serez punis. Tenez-le vous pour dit, les gourmands !

6 SEPTEMBRE Du bon travail

La nuit est tombée. Le fermier est rentré chez lui, et n'en ressortira pas avant demain. C'est le moment d'y aller !

La famille Grandes-Zoreilles se glisse en silence jusqu'au champ de choux.
— Bibi et Jeannot ont une très bonne vue, dit Papa. Ils feront le guet. Jeannot est ravi de ce travail. À ce moment-là, ils entendent quelque chose dans les buissons. Jeannot sursaute, effrayé. Heureusement, ce n'était qu'un oiseau !

7 SEPTEMBRE **Trop de choux**

Les Grandes-Zoreilles ont ramassé les choux.
– Cela suffit, dit Papa lapin. Il est temps
de rentrer à la maison. Mettez tous les choux
dans la charrette, à présent.
Mais il y a beaucoup trop de choux ! Ils ne
tiennent pas tous sur la charrette.
C'est vraiment dommage de les
laisser, dit Maman.

8 SEPTEMBRE

Comme c'est lourd !

Que vont faire les Grandes-Zoreilles ?
La charrette déborde de choux.
– Nous allons les porter dans nos bras,
décide Papa Grandes-Zoreilles. Les filles
vont tirer la charrette, pendant que
les garçons porteront chacun un chou.
Roberta proteste tout de suite, elle veut porter un chou,
comme les garçons ! Mais le chou est beaucoup trop gros
et trop lourd pour ses petites pattes.
Même ses frères halètent et gémissent sous le poids.
Ils n'y arriveront pas !
Il faut trouver une autre solution.

9 SEPTEMBRE **Tom a une idée**

Papa lapin, Roberta, Jeannot, Bibi, Gus, Charlie, Hip et Riquet avancent avec difficulté. Chacun d'eux porte un chou. Le seul à ne pas haleter et grogner, c'est Tom. Pour ne pas se fatiguer, il ne porte pas son chou, il le roule devant lui ! C'est beaucoup plus facile. Les autres essaient aussitôt.

– C'est formidable ! crie Riquet. Tu as eu une bonne idée, Tom.

10 SEPTEMBRE Encore du travail

Maman Grandes-Zoreilles est très contente. Dans l'office,
derrière sa cuisine, l'étagère des choux est complètement pleine.
– Maintenant, quoi qu'il arrive, nous aurons assez de
vitamines pour tout l'hiver, dit-elle gaiement.
Puis elle prend un joli chou bien vert pour en faire une
soupe. Elle sait que ses enfants adorent la soupe aux choux.
Ce soir, ils vont avoir un vrai festin. Ils le méritent,
parce qu'il y a encore du travail à faire.
Le maïs est mûr. Avant que les fermiers n'utilisent
leurs grosses machines pour le moissonner,
les lapins doivent eux aussi faire leur moisson
pour l'hiver. Tout le monde doit manger
quand il fait froid !

11 SEPTEMBRE

La soupe aux choux

J'adore la soupe aux choux.
Pour elle, je ferais des bisous,
Des sauts et des pirouettes,
Je pousserai la brouette,
Et ferai toutes les cueillettes,
Pour en avoir dans mon assiette !

12 SEPTEMBRE   **Une solution**

De tous les enfants Grandes-Zoreilles, c'est Charlie qui se fatigue le plus vite. Avec tout ce travail nocturne, il est obligé de se coucher tard. Ce soir encore, ils vont ramasser le maïs. Papa et Maman savent bien que c'est dur pour leur petit Charlie. Alors ils ont trouvé à une solution.
– Ce soir, lui dit Papa tu vas rester à la maison.
Charlie n'arrive pas à y croire. C'est trop beau pour être vrai !
Mais Papa ajoute :
– Tu feras la vaisselle et tu rangeras la cuisine.
Comme cela, nous pourrons partir tout de suite.
Charlie regarde la pile d'assiettes et de casseroles.
– Je crois que je vais venir avec vous, après tout,
dit-il. Charlie n'aime guère les corvées ménagères !

13 SEPTEMBRE   **Attention au chat !**

La famille Grandes-Zoreilles commence à ramasser les épis.
À chaque craquement de brindilles, les petits lapins attendent en silence, le cœur battant. Le chat du fermier rôde peut-être dans les parages.
– Tu n'as pas peur, Riquet ? chuchote Charlie.
– Moi ? Peur de ce vieux chat ?
Certainement pas, réplique Riquet.
Soudain, Charlie éternue… Riquet, effrayé par ce bruit, grimpe au sommet d'une tige de maïs.
– Ne recommence plus jamais !
dit-il d'une petite voix
– Je croyais que tu n'avais pas peur du chat, Riquet !

14 SEPTEMBRE   Une cachette secrète

– Hop ! crie Hip, tu viens ? Allons dans notre cachette !
Les jumeaux ont un endroit secret. C'est un trou qu'ils ont
creusé, puis recouvert de branches et de brindilles.
On ne peut pas deviner qu'il y a une cachette à cet
endroit si on ne la connaît pas.
Que de mystères, vous ne trouvez pas ?

15 SEPTEMBRE

Les allumettes

Hip et Hop sont assis dans leur
cachette secrète.
– Pourquoi m'as-tu demandé de venir
ici ? demande Hop.
Hip plonge la main dans sa poche et en
sort une petite boîte d'allumettes.
– Oh ! Hip ! s'écrie Hop. Maman et
Papa on dit qu'on n'avait pas le droit
de jouer avec le feu !
– Chut ! dit Hip. C'est la boîte de
tonton Siméon. Je veux seulement
vérifier si les allumettes sont
aussi dangereuses
qu'on le dit.

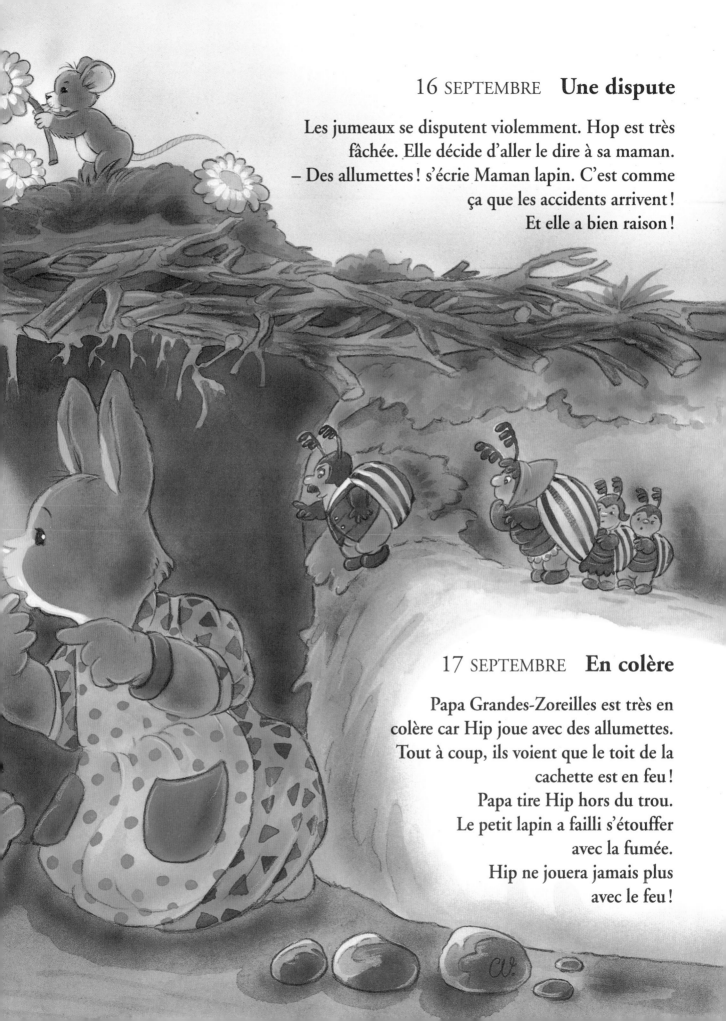

16 SEPTEMBRE — Une dispute

Les jumeaux se disputent violemment. Hop est très fâchée. Elle décide d'aller le dire à sa maman.
– Des allumettes ! s'écrie Maman lapin. C'est comme ça que les accidents arrivent !
Et elle a bien raison !

17 SEPTEMBRE — En colère

Papa Grandes-Zoreilles est très en colère car Hip joue avec des allumettes.
Tout à coup, ils voient que le toit de la cachette est en feu !
Papa tire Hip hors du trou.
Le petit lapin a failli s'étouffer avec la fumée.
Hip ne jouera jamais plus avec le feu !

18 SEPTEMBRE **Le feu**

On ne s'amuse pas avec
des allumettes !
Elles lancent le feu qui
monte et fouette
les buissons, les
branches, les arbres !
Tout brûle !
J'ai peur !

19 SEPTEMBRE **Les pompiers**

Hip est assis dans sa chambre, les oreilles basses. Il ne
jouera plus jamais avec des allumettes ! Heureusement
que Papa lapin est venu juste à temps.
Sinon, il aurait péri dans l'incendie… Lapins pompiers sont
en train d'éteindre le feu. Tout ça est de la faute de Hip.
Il regrette d'avoir joué avec le feu… et aussi de ne pas voir
le camion des pompiers.
Mais il est puni. Il doit rester dans sa chambre.
Ce qu'il est malheureux !

174

20 SEPTEMBRE **Une punition**

Monsieur Grandes-Zoreilles porte encore
son uniforme de pompier quand il revient au terrier.
– Je suis très fâché ! gronde-t-il en regardant son fils.
– Pardon, Papa, marmonne Hip, tout confus.
– Comprends-tu, maintenant, à quel point
le feu peut être dangereux ?
Comme punition,
tu laveras le camion des pompiers.
– Oui, Papa, répond Hip.
Il ferait n'importe quoi pour que son papa
ne soit plus fâché contre lui !

21 SEPTEMBRE   **Une petite queue ronde**

Margot est très fière de la fourrure soyeuse
de sa queue.
– Personne n'a une queue aussi belle
que la mienne, dit-elle gaiement. Je suis sûre que
beaucoup d'animaux seraient bien contents d'échanger
leur queue avec celle-ci !
– Croa ! Croa ! lui répond Casimir, le corbeau. Changer de
queue avec toi ? J'en connais qui ne le feraient à aucun prix !
Qu'a bien voulu dire Casimir ?

22 SEPTEMBRE

Admirez !

Écoutez Margot Grandes-Zoreilles :
– Ma queue n'a pas sa pareille,
Dit-elle. Elle est du blanc le plus pur.
Et admirez aussi sa texture !
Sa fourrure est si soyeuse,
Qu'elle en devient merveilleuse !

23 SEPTEMBRE — La plus jolie

Les mots de Casimir font réfléchir Margot. Elle décide d'aller demander aux autres animaux qui a la plus jolie queue. Elle appelle Noisette l'écureuil.
– Noisette ! Qui a la plus jolie queue ?
– Moi, bien sûr, répond l'écureuil.
Déçue, Margot pose sa question au daim.
– Eh bien, ma queue est la plus belle, répond-il.
Margot continue ses recherches.
Pourquoi personne ne pense qu'elle a la plus jolie queue ?

24 SEPTEMBRE

Quelle idée amusante !

Margot est déçue : personne ne pense que sa queue est la plus jolie. Elle le dit à Papa lapin.
– Tous les animaux ont des queues qui leur conviennent, explique-t-il. Une petite queue ronde convient aux lapins. Mais imagines-tu une vache avec une queue comme la nôtre ?
C'est au tour de Margot de rire aux éclats.
Une vache avec une queue de lapin !
Quelle idée amusante !

25 SEPTEMBRE   Un visiteur

Quelqu'un frappe à la porte de la famille Grandes-Zoreilles. C'est Maurice Blanches-Moustaches, un jeune lapin qui habite de l'autre côté de la Colline Câline. Maurice vient souvent les voir, depuis quelques temps. En le voyant, Riquet et Jeannot Grandes-Zoreilles se font un clin d'œil.
– Il est amoureux de Zoé ! chuchotent-ils.
Zoé rougit tellement que l'on ne voit même plus ses taches de rousseur !

26 SEPTEMBRE   Une promenade

Maurice Blanches-Moustaches est venu chercher Zoé pour se promener dans le bois. Il demande la permission à Madame Grandes-Zoreilles.
– D'accord, dit Maman. Mais Riquet vous accompagne. Et vous devez rentrer dans une heure.
– Surtout, Maurice, faites bien attention à Goupilou le Rouquin, ajoute Papa.
Pour cela, pas de problème ! Maurice est un parent éloigné de Robin le Lapin !

27 SEPTEMBRE

Merci, Maurice !

Riquet s'ennuie avec
Maurice et Zoé. Ils ne font
que de se tenir par la patte et
de soupirer en se regardant d'un
air idiot. « Moi, je vais m'amuser un
peu ! » se dit Riquet. Il s'éloigne, mais
après quelques pas, il se retrouve face à
Goupilou le Rouquin !
– Au secours ! crie-t-il.
Maurice chasse le renard en le bombardant
de cailloux. Riquet est sauvé !

179

28 SEPTEMBRE **Des crêpes au maïs**

– Hé, Gus ! Hé Tom ! Vous ne venez pas dehors ?
demande Jeannot Grandes-Zoreilles.
Rien ne peut décider Gus et Tom à sortir. Soudain,
une odeur délicieuse se répand dans tout le terrier.
Cela vient de la cuisine…
« Ah ! se dit Jeannot. Maintenant, je comprends tout. »
Cette odeur, c'est celle des crêpes au maïs.
Il n'y a rien de meilleur au monde !
Et Maman lapin a dû en faire des tas !

29 SEPTEMBRE **Il faut attendre son tour**

Gus, Tom et Jeannot se tiennent bien sagement
devant la porte de la cuisine.
– Que faites-vous ici? demandent Hip et Hop.
Pour toute réponse, Gus et Jeannot se frottent le
ventre d'un air réjoui. Aussitôt, Hip et Hop sentent la
bonne odeur de crêpes au maïs. Un peu plus tard, Bibi
et Charlie apparaissent. Puis Roberta, Margot, Zoé et
Riquet. Finalement, quand maman ouvre la porte pour
appeler ses petits, ils sont tous là, en rang d'oignons.
À la vue de tous ses enfants en train d'attendre,
elle éclate de rire.

30 SEPTEMBRE

Une bonne recette

Prendre des épis de maïs dorés,
Qu'on a moulu bien serré,
Battre l'œuf et le lait dans un saladier.
Ajouter la farine. Bien lier.
Faire couler dans la poêle, sans vous brûler,
Et quand c'est cuit, dégustez!

1ER OCTOBRE **Les grands-parents**

Tom est assis sur un gros rocher. Il scrute le
chemin avec attention. Il ne veut surtout pas
manquer l'arrivée de ses grands-parents ! Grand-
Père est toujours gai et raconte de merveilleuses
histoires. Et Grand-Mère est la plus gentille
de toutes les grands-mères du monde.
Rien en vue. Seul un troupeau d'oies
vole très haut dans le ciel.
« Pourquoi n'arrivent-ils pas ? »
se demande Tom, impatient.

2 OCTOBRE

L'atterrissage

Devant Tom éberlué, une
énorme oie grise descend
du ciel. Elle se pose sur
le chemin… Mais qui sont
ces gens, sur son dos ?
C'est Grand-Père et Grand-
Mère ! Quelle étrange
arrivée !

3 OCTOBRE **Une grande famille**

Qu'est-ce qu'on s'amuse dans le terrier des Grandes-Zoreilles ! Ils sont quinze lapins, maintenant, en comptant Grand-Père et Grand-Mère. Tout le monde est donc assis bien tranquillement dans le salon. Zoé apporte du thé. Grand-Mère avoue avoir eu un peu peur sur le dos de l'oie.
– Nous volions très haut dans le ciel, explique-t-elle. Je suis contente d'être revenue sur la terre ferme ! Et quelle joie de vous revoir, mes chers petits lapins !

4 OCTOBRE **L'histoire**

Grand-Père raconte une histoire :
– Robin le Lapin et moi pourchassions les voleurs volants sur des chouettes.
– Je parie que tu avais peur dit Grand-Mère. Grand-Père ne veut pas l'admettre devant ses petits-enfants !

5 OCTOBRE **Sacré Grand-Père**

Quand Grand-Père était jeune garçon,
Il courait les collines et les vallons.
Avec Robin le Lapin pour compagnie,
Ils allaient et venaient sans soucis.
– Nous n'avions peur de rien. Nous
poursuivions les gredins. Nous sauvions
beaucoup d'animaux. Maintenant,
je suis vieux et j'ai mal au dos !

6 OCTOBRE **Une canne**

– Je vais aller me promener un peu, dit Grand-Père.
Il essaye de se lever, mais il n'y arrive pas.
Charlie aperçoit sa canne. Il la ramasse et la lui donne.
– Tiens, dit-il. Maintenant, tu peux te lever.
– Mais, proteste Grand-Père, je me lève très bien
tout seul ! Je me sers seulement de ma canne
pour corriger les vauriens.
Grand-Père parle-t-il sérieusement ? Ou bien
refuse-t-il de reconnaître qu'il a vieilli ?

7 OCTOBRE — **Sur le sentier de la guerre**

Le nettoyage de printemps, cela vous dit quelque chose ?
Quand le beau temps revient, après l'hiver, les êtres
humains éprouvent le besoin de nettoyer leur maison
de la cave au plafond. Et les lapins ressentent la même
chose, mais en automne.
– Attention, les enfants ! dit Papa en riant.
Votre mère est sur le sentier de la guerre.
– Le sentier de la guerre ? répète Gus, inquiet.
Gus n'aime pas du tout se battre.
– Ne crains rien, dit Papa. La seule guerre
que ta maman va livrer, c'est contre la poussière
et la saleté.
Ouf ! Gus préfère ça !

8 OCTOBRE — **Le ménage**

Maman Grandes-Zoreilles est prête pour son grand
nettoyage annuel. Le terrier doit être impeccable !
Tous les enfants font le ménage dans leur chambre.
– Je passe dans un moment pour voir si vous avez
bien travaillé, prévient Maman.
Zoé a vite terminé. Elle va aider Margot.
– Merci de m'aider, Zoé, dit-elle avec
reconnaissance.

9 OCTOBRE L'inspection

Maman passe l'inspection dans la chambre des enfants. Hip et Hop font une bataille d'oreillers. Quelle pagaïe !
– Arrêtez tout de suite ! s'écrie Maman. Ici, on travaille d'abord et on s'amuse ensuite. Tout penauds, les jumeaux obéissent.

10 OCTOBRE

Le rangement !

Maman Grandes-Zoreilles a presque terminé son inspection. Il ne lui reste plus qu'à vérifier le placard de Roberta.
Tout est très bien rangé et très propre. Mais il y a peu de choses sur les étagères ! Seulement des jeans et des pull-overs. Roberta a jeté toutes ses robes !
– Je ne voulais pas porter ces trucs de filles, explique Roberta.
Quel drôle de rangement !

11 OCTOBRE **La coiffeuse**

Margot Grandes-Zoreilles sait ce qu'elle veut faire quand elle sera grande. Elle sera coiffeuse. Elle passe déjà ses journées à se peigner devant son miroir. C'est tellement agréable ! Elle ne s'en lasse jamais ! Quand elle a fini de se coiffer, elle se charge des cheveux de ses frères et sœurs.
– Zoé, tu veux bien que je te brosse les cheveux ? demande-t-elle gentiment.
Zoé soupire. Elle n'en a guère envie !
– D'accord, dit-elle pour faire plaisir à sa sœur.
Elle s'assied sur un tabouret. Un peu plus tard, Zoé a deux petites nattes sur la tête. Maintenant, c'est au tour de quelqu'un d'autre. Margot a bien l'intention de coiffer toute la famille !

12 OCTOBRE **Les ciseaux**

– Maman, est-ce que je peux prendre les ciseaux ? demande Margot Grandes-Zoreilles. Maman Grandes-Zoreilles est occupée. Sans réfléchir, elle donne les ciseaux à sa fille. Soudain, Maman Grandes-Zoreilles se rappelle que Margot joue à la coiffeuse. Elles se précipite dans la chambre des enfants. Margot est sur le point de couper les cheveux de Roberta.
– Arrête ! crie Maman Grandes-Zoreilles. Ce n'est pas à toi de faire ça !
Margot est triste parce qu'elle n'a pas le droit de couper les cheveux de Roberta. Et Roberta est déçue parce qu'elle espérait avoir une coupe de garçon.

188

13 OCTOBRE **Des reflets**

Margot cherche son frère Bibi. Elle a déjà peigné et coiffé tous ses autres frères et sœurs. Il ne reste que Bibi.
– Pas la peine ! s'écrie Bibi en secouant sa toison emmêlée. Personne n'a jamais réussi à me coiffer !
Mais Margot ne renonce pas pour autant.
– Et si je te faisais des reflets dans les cheveux ? Toutes les stars de rock en ont.
Voilà qui intéresse beaucoup Bibi ! Malheureusement, il ignore que Margot veut le teindre avec du jus de myrtilles ! Elle les a ramassées ce matin. Maintenant, elle les écrase soigneusement, puis applique le jus sur les cheveux de Bibi. Quel choc quand il se regarde ensuite dans le miroir ! Ses cheveux sont devenus violets ! Maman n'est pas seulement choquée, elle est aussi très fâchée. Margot n'a plus le droit de jouer à la coiffeuse, vous vous en doutez !

14 OCTOBRE

Pourquoi rient-ils?

Partout où je vais, j'entends rire.
Quelle façon de m'accueillir!
Je trouve cela très méchant,
De faire tous ces cancans.
Les gens se moquent de moi
Et partout me montrent du doigt.
Tout cela à cause de mes cheveux violets.
Mais je ne peux pas les changer!
Je me demande même parfois
S'ils ne m'envient pas…

15 OCTOBRE J'en ai assez!

– J'en ai assez! gémit Bibi.
Il est très fâché contre sa sœur Margot.
Elle lui a dit qu'il ressemblerait à une star
de rock, et le résultat, c'est que tout
le monde se moque de lui.
Bien que Maman Grandes-Zoreilles savonne,
lave et rince les cheveux de Bibi, ils restent
toujours violets. Il va falloir lui couper
les cheveux, cette fois! Il n'y échappera pas!

16 OCTOBRE

Original

Impossible de ne pas
le remarquer…
Bibi a les cheveux violets !
Pourquoi se coiffer ainsi ?
Les animaux sont surpris.
On n'a jamais vu de lapin
Avec des cheveux teints !

17 OCTOBRE

Le brouillard

De tendres nuages d'un blanc nacré
Se glissent et s'enroulent comme du lierre
Sur les branches, les troncs et les pierres.
Est-ce que, par quelque secret,
Les elfes et leurs amies les fées,
Avec leurs voiles glacés,
Ont envahi la forêt?

18 OCTOBRE   Un fantôme

Quand Riquet sort ce matin, le bois
est plongé dans un épais brouillard.
Il pense aussitôt à Robin le Lapin qui
a chassé de la forêt un immense fantôme
blanc, qui pouvait devenir aussi grand qu'il le
souhaitait. Il pouvait même recouvrir le Bois
Profond! Sa présence était une menace terrible
car les arbres et l'herbe ont besoin du soleil.

19 OCTOBRE **Du souffle**

Les animaux du Bois Profond ont trouvé une solution pour chasser le fantôme. Il vont lui souffler dessus ! Les animaux se rassemblent au milieu du bois et soufflent, soufflent de toutes leurs forces ! Leurs joues se gonflent, leurs poumons sont sur le point d'éclater… Mais, le fantôme est toujours là, de plus en plus grand. Les animaux sont découragés. Leur ennemi est invincible ! À ce moment-là, un petit lapin est arrivé en courant.
– Je vais vous aider ! dit-il.
« Comment pourra-t-il ? » se demandent les animaux, incrédules. Robin est très jeune et personne ne connaît encore ses exploits.

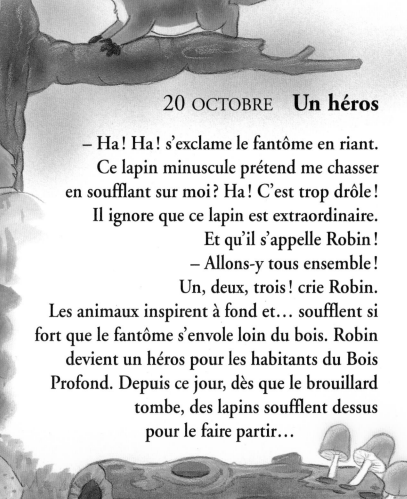

20 OCTOBRE **Un héros**

– Ha ! Ha ! s'exclame le fantôme en riant. Ce lapin minuscule prétend me chasser en soufflant sur moi ? Ha ! C'est trop drôle ! Il ignore que ce lapin est extraordinaire. Et qu'il s'appelle Robin !
– Allons-y tous ensemble ! Un, deux, trois ! crie Robin. Les animaux inspirent à fond et… soufflent si fort que le fantôme s'envole loin du bois. Robin devient un héros pour les habitants du Bois Profond. Depuis ce jour, dès que le brouillard tombe, des lapins soufflent dessus pour le faire partir…

21 OCTOBRE **L'automne**

Grand-Père et Grand-Mère vont regagner leur terrier.

– L'automne arrive, explique Grand-Père.

Et le froid de l'hiver n'est pas loin.

– Comment sais-tu que l'automne arrive, demande Hip ?

– Toutes sortes de choses nous le disent. Je vais te donner
un indice. C'est rouge avec des petites taches blanches.
Savez-vous de quoi parle Grand-Père ?

22 OCTOBRE — Les champignons vénéneux

Des champignons vénéneux, il y en a partout !
Le bois en est rempli.
– Crois-tu que les lutins habitent dans les
champignons ? demande Hop à son frère jumeau.
– Seulement dans ceux qui ont une porte d'entrée,
répond Hip, le plus sérieusement du monde.
Hop passe la journée à chercher un champignon
avec une porte, mais elle n'en trouve pas.
Évidemment ! Les champignons ne sont
pas des maisons !

23 OCTOBRE

Les lutins

Hop va voir Papa lapin.
– Papa, sais-tu où habitent les lutins ?
Vivent-ils dans les champignons vénéneux ?
– Non, répond Papa. Ils habitent dans de petits
trous sous la terre. Mais, parfois, en automne, un
champignon pousse au-dessus de leur petit terrier.

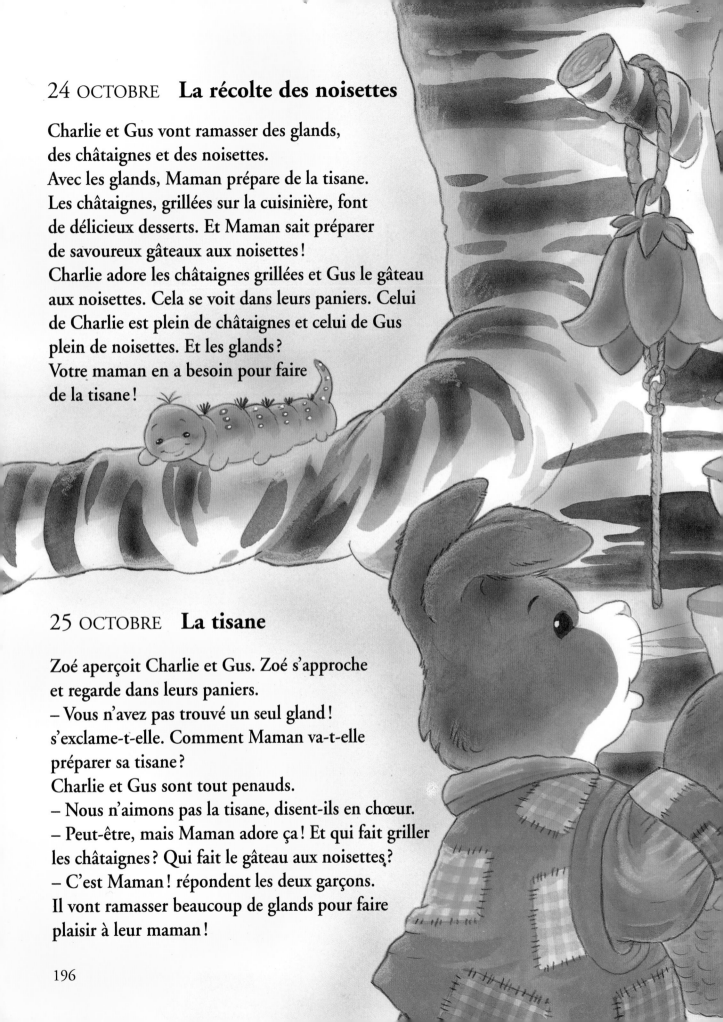

24 OCTOBRE **La récolte des noisettes**

Charlie et Gus vont ramasser des glands,
des châtaignes et des noisettes.
Avec les glands, Maman prépare de la tisane.
Les châtaignes, grillées sur la cuisinière, font
de délicieux desserts. Et Maman sait préparer
de savoureux gâteaux aux noisettes !
Charlie adore les châtaignes grillées et Gus le gâteau
aux noisettes. Cela se voit dans leurs paniers. Celui
de Charlie est plein de châtaignes et celui de Gus
plein de noisettes. Et les glands ?
Votre maman en a besoin pour faire
de la tisane !

25 OCTOBRE **La tisane**

Zoé aperçoit Charlie et Gus. Zoé s'approche
et regarde dans leurs paniers.
– Vous n'avez pas trouvé un seul gland !
s'exclame-t-elle. Comment Maman va-t-elle
préparer sa tisane ?
Charlie et Gus sont tout penauds.
– Nous n'aimons pas la tisane, disent-ils en chœur.
– Peut-être, mais Maman adore ça ! Et qui fait griller
les châtaignes ? Qui fait le gâteau aux noisettes ?
– C'est Maman ! répondent les deux garçons.
Il vont ramasser beaucoup de glands pour faire
plaisir à leur maman !

26 OCTOBRE **Un échange**

Zoé, Charlie et Gus cherchent, mais ils ne trouvent pas un seul gland ! Noisette l'écureuil a déjà fait une grosse provision de glands pour l'hiver. Il aimerait en donner aux Grandes-Zoreilles, mais il doit garder de quoi manger.

– Si je vous donne des glands, que me donnerez-vous en échange ? demande-t-il.

Sans hésiter, Charlie lui propose ses châtaignes et Gus, ses noisettes.

– Topez là ! dit Noisette. C'est Maman qui sera contente !

27 OCTOBRE   Les chasseurs

Le son aigu des cors résonne dans tout le Bois Profond.
Dès qu'ils l'entendent, tous les animaux s'enferment
chez eux. Alerte ! Les chasseurs sont dans le bois ! Papa
et Maman Grandes-Zoreilles comptent leurs enfants
pour voir s'il n'en manque aucun. Puis Papa vérifie que
la porte d'entrée est fermée à clé. Mais les enfants ne sont pas
complètement rassurés. Les oreilles dressées, ils écoutent
avec attention. Le cor de chasse semble très près !
De frayeur, ils ferment les yeux et serrent bien fort
les paupières.

28 OCTOBRE   Pauvre Goupilou !

Goupilou le Rouquin, lui aussi, a entendu les
chasseurs. Mais il ne rentre pas se cacher chez lui,
comme les autres animaux. Il sait que les chiens
trouvent les terriers des renards. Alors Goupilou
s'enfuit dans les bois. Il est mort de peur. Il
court, court, mais les chasseurs se rapprochent.
Haletant, le renard atteint la Colline Câline.
D'une fenêtre de leur terrier, les petits
Grandes-Zoreilles voit passer leur vieil ennemi.
– Il leur a échappé, dit Riquet. Mais pour combien
de temps ?
– Comme je le plains ! dit Zoé. Pourquoi ne pas l'aider ?

Ce n'est pas juste !

Les Grandes-Zoreilles aimeraient
aider Goupilou. Ils trouvent
injuste que tous ces
chasseurs le pourchassent.
Maman lapin à une idée.
– Mettez du poivre sur
les traces du renard avant que
les chasseurs n'arrivent !
Riquet, Jeannot et Papa Grandes-Zoreilles
s'exécutent puis, ils rentrent en courant
dans le terrier.
– Ouah ! Atchoum ! font les chiens.
Avec tout ce poivre, ils ne sentent plus rien.
Les chasseurs, mécontents, rentrent
chez eux. Goupilou est sauvé !

30 OCTOBRE   Des pommes séchées

Les fruits moisissent si on ne les mange pas
rapidement. Sauf les pommes, à condition de
savoir les conserver. Cela vous intéresse ? Il suffit de
couper les pommes en tranches, puis de les faire sécher.
Regardez Zoé et Margot. Elles sont en train d'enfiler
les tranches de pommes sur une ficelle. Puis elles
es suspendent dans le grenier pour qu'elles sèchent.
– C'est joli, tu ne trouves pas ? dit Zoé.
– Oui, répond Margot. On dirait des guirlandes,
comme pour un anniversaire.

31 OCTOBRE

La chanson des pommes

Quand nous enfilons des quartiers,
On dirait de grands colliers !
Pom, pom, lalirette, lalira…
Avec toute cette ficelle
Il y a de quoi se faire bien belle !
Quand nous enfilons des tranches,
On dirait de grandes branches !
Pom, pom, lalirette, lalira…

1ᴱᴿ NOVEMBRE

Le vent

Le Bois Profond est très beau en automne. Le vent soulève les feuilles aux couleurs vives. Il souffle et les emporte en les faisant tourbillonner, jusqu'à ce qu'elles retombent sur le sol. Il en entasse contre la porte du terrier des lapins.
– Eh bien ! s'écrie Papa Grandes-Zoreilles. Bientôt, nous ne pourrons plus sortir.

2 NOVEMBRE

Que s'est-il passé ?

Papa Grandes-Zoreilles n'en croit pas ses yeux. Il y a seulement dix minutes, il a balayé toutes les feuilles mortes mais le vent a tout ramené ! À cet instant, il aperçoit Jeannot en train de sauter sur le tas de feuilles. Plus il saute, plus le tas s'éparpille. Le voilà le coupable !

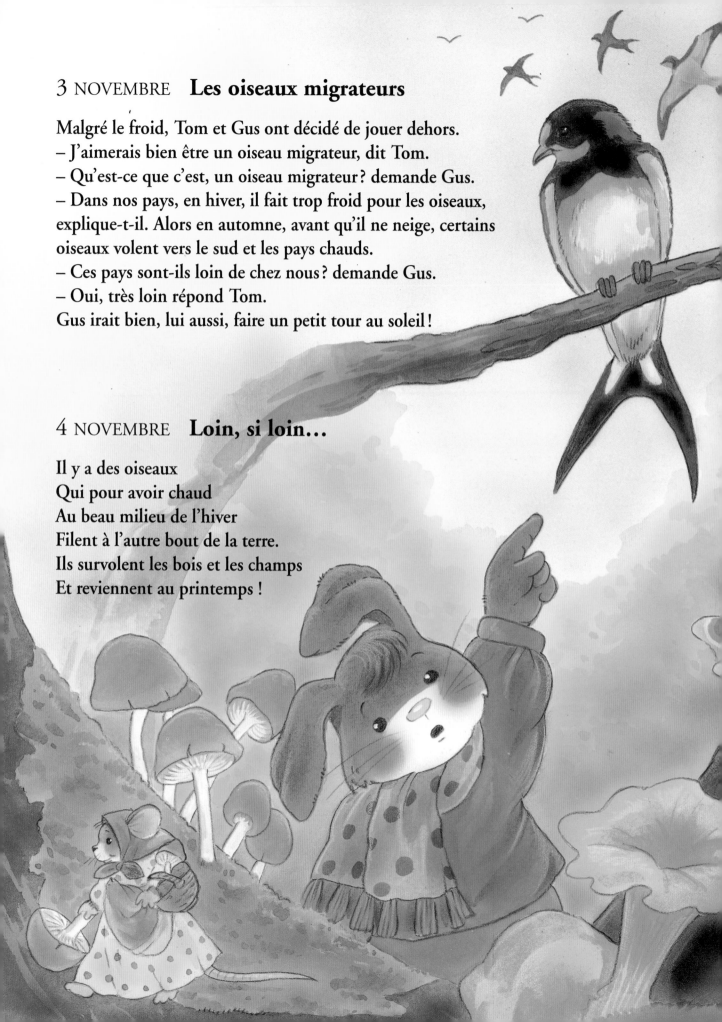

3 NOVEMBRE Les oiseaux migrateurs

Malgré le froid, Tom et Gus ont décidé de jouer dehors.
– J'aimerais bien être un oiseau migrateur, dit Tom.
– Qu'est-ce que c'est, un oiseau migrateur? demande Gus.
– Dans nos pays, en hiver, il fait trop froid pour les oiseaux,
explique-t-il. Alors en automne, avant qu'il ne neige, certains
oiseaux volent vers le sud et les pays chauds.
– Ces pays sont-ils loin de chez nous? demande Gus.
– Oui, très loin répond Tom.
Gus irait bien, lui aussi, faire un petit tour au soleil!

4 NOVEMBRE Loin, si loin…

Il y a des oiseaux
Qui pour avoir chaud
Au beau milieu de l'hiver
Filent à l'autre bout de la terre.
Ils survolent les bois et les champs
Et reviennent au printemps!

5 NOVEMBRE **Fred**

Fred l'hirondelle n'en peut plus !
Alors il se perche quelques instants
sur une branche d'arbre.
Fred se rend en Afrique.
– Es-tu un oiseau
migrateur ? lui demande Gus.
– Oui, répond Fred.
– Pourquoi n'es-tu pas parti
vers un pays chaud ?
demande Gus.
– J'ai déjà fait un long
chemin, réplique Fred.

6 NOVEMBRE **Les dangers**

– Mon voyage est très long
et très dangereux, explique Fred.
– Pourquoi partez-vous, alors ? demande Gus.
– Pour trouver de quoi nous nourrir, dit Fred.
Les hirondelles mangent des mouches. Mais
il n'y en a pas assez, ici, en hiver. C'est
pourquoi nous allons en Afrique où nous
sommes sûrs de ne jamais avoir faim !

7 NOVEMBRE Un jeu de société

Tous les petits lapins adorent les jeux de société.
Quand il pleut et que le vent souffle au-dehors,
il fait bon être à l'abri dans le terrier. Dans la salle
à manger bien chaude, chaque petit lapin choisit
à son tour le jeu auquel il a envie de jouer.
Tom aimerait beaucoup jouer aux échecs…
Mais il faut seulement deux joueurs pour
ce jeu et il y a onze enfants. De plus, c'est
un jeu difficile. Tom sait qu'aucun de
ses frères et sœurs ne seront intéressés.
– Si on jouait à l'échelle
du renard ? dit-il enfin.

8 NOVEMBRE Point par point

Les lapins adorent jouer à l'échelle du renard.
Voilà comment ça se passe : on lance un dés.
Selon le nombre de points, on avance sur des
cases. Sur certaines, on se retrouve au bas d'une
échelle. De là, on grimpe et on gagne… Sauf
qu'en haut de l'échelle, il y a souvent le renard !
Alors et il faut tout recommencer !
Jeannot n'a pas de chance. il perd et va bouder
sous la table. Ses frères et sœurs éclatent de rire.
– Sors de là, Jeannot. Veux-tu une échelle ?

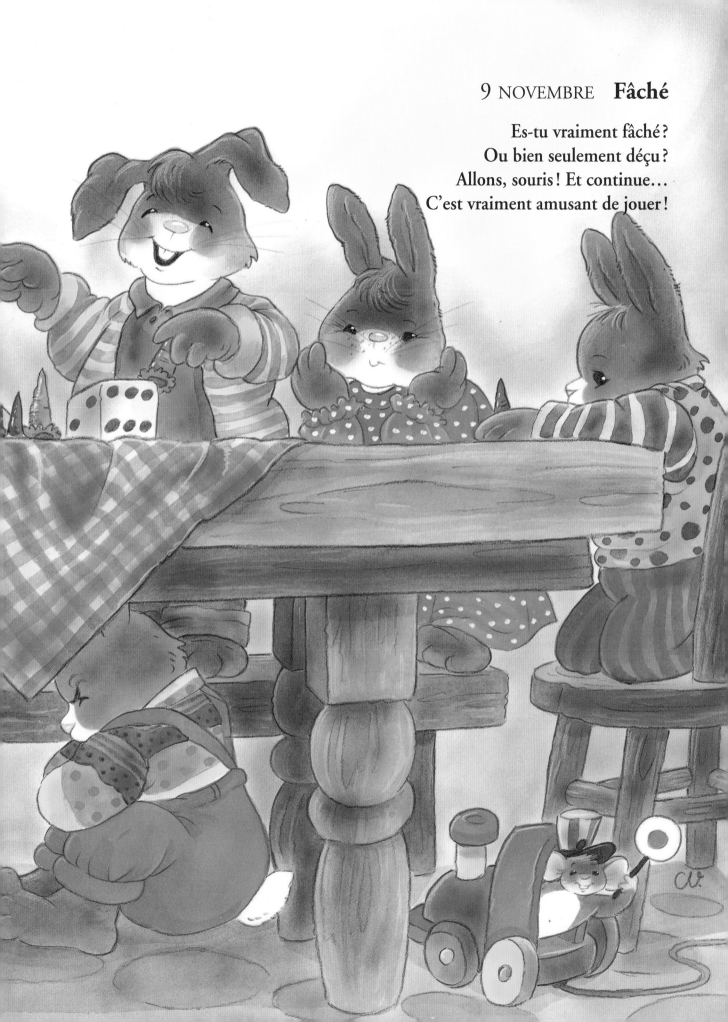

9 NOVEMBRE Fâché

Es-tu vraiment fâché ?
Ou bien seulement déçu ?
Allons, souris ! Et continue…
C'est vraiment amusant de jouer !

10 NOVEMBRE

De petites lumières

De petites lumières percent la nuit,
comme des étoiles. Leur éclat luit.
Elles éclairent tout alentour,
et rendent la nuit
aussi claire que le jour.

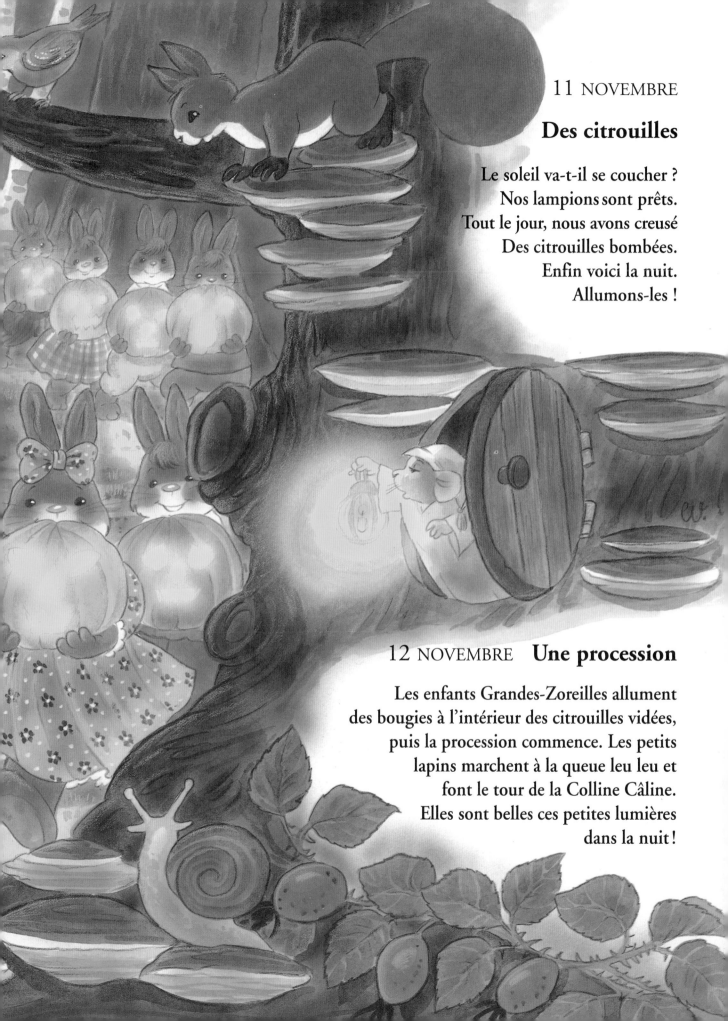

11 NOVEMBRE

Des citrouilles

Le soleil va-t-il se coucher ?
Nos lampions sont prêts.
Tout le jour, nous avons creusé
Des citrouilles bombées.
Enfin voici la nuit.
Allumons-les !

12 NOVEMBRE   Une procession

Les enfants Grandes-Zoreilles allument
des bougies à l'intérieur des citrouilles vidées,
puis la procession commence. Les petits
lapins marchent à la queue leu leu et
font le tour de la Colline Câline.
Elles sont belles ces petites lumières
dans la nuit !

13 NOVEMBRE

Je l'ai échappé belle!

Roberta se glisse
discrètement dehors.
– Pourquoi t'échappes-tu?
demande Mélanie la
mésange.
– Je fuyais Ariane l'araignée, répond Roberta.
Elle venait me donner une leçon de tricot. Je n'ai pas
envie de perdre mon temps avec des bouts de laine!

14 NOVEMBRE

C'est vraiment idiot!

Ariane donne des leçons de tricot
à toutes les filles Grandes-Zoreilles.
Mais Roberta n'apprécie pas du tout.
– Une maille à l'endroit, une maille
à l'envers… C'est vraiment idiot!
explique Roberta à la mésange.
À cet instant, Roberta voit Ariane
qui s'avance, mais il est trop tard
pour se cacher.
– Bonjour Roberta! dit-elle. C'est
gentil à toi de venir à ma rencontre.
Roberta ne peut plus échapper
à sa leçon!

15 NOVEMBRE — La leçon de tricot

Ariane l'araignée explique patiemment comment tricoter un pull-over. Aussitôt, Zoé, Margot et Hop se mettent au travail. Roberta aussi… Ariane leur apprend tout d'abord à monter les premières mailles. Roberta se concentre. Mais elle a beau essayer, la laine glisse tout le temps de son aiguille. Comment font les autres pour ne pas lâcher leurs mailles ?

16 NOVEMBRE — Ça fait des nœuds !

– Regarde comme j'ai avancé ! s'écrie Margot avec fierté.
– Très bien ! dit Ariane l'araignée.
Hop et Zoé avancent lentement. Quant à Roberta, elle a enroulé la laine autour de ses oreilles. Il y a de laine partout, sauf sur ses aiguilles !
– Ça fait des nœuds, marmonne-t-elle.
« Je n'y peux rien si les mailles m'échappent tout le temps ! » songe-t-elle, mécontente.

17 NOVEMBRE **Je me gratte !**

Ça me démange, je me gratte
Je ne peux retenir ma patte.
Ça picote,
Je me frotte !
Qu'y a-t-il dans mes cheveux,
Qui me rend si chatouilleux ?

18 NOVEMBRE **La fourrure**

– Ne vous grattez pas, les enfants ! ordonne
Maman Grandes-Zoreilles d'un ton sévère.
Les lapins perdent leur légère fourrure d'été.
À la place pousse une épaisse fourrure d'hiver.
Ça gratte ! Madame sort un peigne.
– Nous sommes en novembre. Il est temps de
peigner votre fourrure pour la démêler.

19 NOVEMBRE — Toi aussi, Riquet !

– Ah ! Ça va mieux ! dit Tom Grandes-Zoreilles. Sa maman vient de le débarrasser de sa fourrure d'été. Maintenant, plus rien ne le démange ! Ses frères et sœurs aussi se sentent soulagés. Il ne reste plus que Riquet. Mais il s'est caché sous la table ! Il déteste qu'on lui peigne sa fourrure ! Il préfère que ça le démange. Mais Maman n'est pas d'accord. Elle l'attrape par l'oreille et l'installe sur un tabouret.
– Tout le monde doit être peigné ! dit-elle. Toi comme les autres !

20 NOVEMBRE — L'année prochaine

Riquet Grandes-Zoreilles est très malheureux, pendant que Maman peigne sa fourrure. Celle-ci est très emmêlée. Maman a beaucoup de mal à y faire passer le peigne.
– Aïe ! Ouille ! crie Riquet.
– Tu sais, je ne me cacherai pas l'année prochaine, grommelle Riquet.
– Tant mieux, mon chéri, dit Maman en riant. Tu vois, ce n'était pas si terrible !
– Si ! s'écrie Riquet. L'année prochaine, c'est le peigne que je cacherai !

21 NOVEMBRE **Les animaux en hiver**

Papa Grandes-Zoreilles ouvre le *Manuel des Lapins*. Avant de commencer, il leur demande :
– Qui peut me dire ce que font les animaux quand arrive l'hiver ?
– Je sais ! s'exclame Tom. Les oiseaux migrateurs vont dans les pays chauds et les écureuils entassent des provisions de noisettes, et…
Soudain, Charlie interrompt son frère.
– Et les animaux les plus intelligents dorment tout l'hiver !
Tom sait beaucoup de choses. Mais quand il s'agit de dormir, Charlie est un expert !

22 NOVEMBRE **Pourquoi ?**

Papa Grandes-Zoreilles demande à ses enfants :
– Savez-vous pourquoi les oiseaux s'en vont et pourquoi certains animaux dorment tout l'hiver ? demande-t-il.
Tout à coup, Gus lève le doigt.
– Pour ne pas avoir faim ! s'écrie-t-il.
– Très bien, Gus ! dit Papa. Comment sais-tu cela ?
Gus raconte ce que lui a dit Fred l'hirondelle.
– Tu as triché ! Tu as demandé à quelqu'un ! s'écrie Tom.
Tom serait-il jaloux ?

23 NOVEMBRE **L'hiver !**

– Il y a très très longtemps, dit Papa
Grandes-Zoreilles, l'hiver arrivait très
tôt sur le Bois Profond, en octobre.
Il faisait si froid que les lapins ne
trouvaient plus rien à manger. Comment
survivre sans la moindre provision ?
La solution : appeler Robin le Lapin.
Mais que pouvait-il faire,
tout seul, contre l'hiver ?

24 NOVEMBRE **Un long voyage**

Robin réfléchit et dit sans hésiter :
– Nous devons passer l'hiver
dans un pays plus chaud.
Les lapins marchèrent pendant
des jours et arrivèrent ensoleillé.
Les lapins qui habitaient là
partagèrent leurs provisions.
Cependant, les lapins de Robin avaient
marché si longtemps, et eu si froid,
qu'ils décidèrent de faire
des provisions en été.

25 NOVEMBRE Dormir...

« Charlie passe son temps à dormir !
se dit Riquet Grandes-Zoreilles. Ce doit
être ennuyeux ! Et que de temps perdu ! »
Mais Charlie n'est pas de cet avis. Son lit
est si confortable !
– J'aimerais bien être un ours ! murmure-t-il
en bâillant sous sa couette. Comme ça, je pourrais
dormir tout l'hiver ! Ce serait génial...

216

26 NOVEMBRE — Quelques glaçons

– Je vais faire peur à mon frère, marmonne Riquet.
Il est temps de le secouer !
Si cela continue, Charlie ne se réveillera pas de tout l'hiver !
Peut-être que les ours font ça, mais pas les lapins. Il faut
qu'ils mangent tous les jours et qu'ils s'amusent un peu.
Riquet a soudain une idée.
« Charlie trouve son lit très confortable » se dit-il.
Mais si j'y glissais quelques glaçons…
Qu'est-ce que Riquet va encore manigancer ?

27 NOVEMBRE — À malin, malin et demi !

Riquet veut réveiller son frère. Il prend des glaçons,
entre dans la chambre, puis, glisse les glaçons dans le
lit de Charlie. Ce dernier se réveille en sursaut.
Il est glacé et tout mouillé !
Mais Riquet s'aperçoit que son frère s'est couché dans
son propre lit ! À malin, malin et demi !

28 NOVEMBRE Des bonnets de laine

– Boutonnez bien vos vestes si vous sortez !
Et tirez bien vos bonnets de laine sur vos oreilles,
dit Maman lapin à Hip et Hop.
Ce n'est pas facile de mettre un bonnet
sur d'aussi longues oreilles. Maman
a tricoté un bleu pour Hip et un rouge
pour Hop. Elle a brodé un croissant
de lune pour Hip et une étoile
pour Hop. Maintenant,
tout le monde peut
les reconnaître !

29 NOVEMBRE

Des cache-oreilles

J'ai mis mon bonnet de laine,
Mais que faire de mes oreilles ?
Elles y rentrent avec peine…
L'idéal, ce serait des cache-oreilles !

30 NOVEMBRE

Des protège-oreilles

– Enfoncez vos bonnets,
mes aimés !
Dehors, il fait très froid,
Il faut prendre soin de soi.
Celui de Gus est si petit que
Maman lui dit :
– Mets ce protège-oreilles.
Il te va à merveille.

1ᴱᴿ DÉCEMBRE   Attention!

Ce que ça glisse! On dirait que le monde entier s'est
transformé en patinoire. Une fine couche de glace recouvre
le sol. Les Grandes-Zoreilles font très attention quand
ils sortent. Sauf Jeannot… Il a tant d'énergie qu'il ne sait
pas prendre de précautions. Aussi, dès qu'il pose le pied
dehors, il atterrit sur son derrière.
Il se remet sur ses pattes, se prépare à avancer et… patatras!
Le voilà encore par terre.
– Fais un peu attention! dit Zoé à son frère. Tu vas avoir
des bleus partout!

2 DÉCEMBRE   Exprès

Zoé Grandes-Zoreilles est désolée. Jeannot n'arrête pas
de tomber! Lui qui adore se promener ne peut même pas
avancer! Le sol gelé est aussi glissant qu'un parquet ciré.
Jeannot a dû tomber sur son derrière au moins
une centaine de fois. Il a mal à sa petite queue,
et très froid partout. Alors Zoé va chercher un oreiller
et une corde dans le grenier.
– Je vais attacher cet oreiller sur ton derrière,
explique-t-elle à Jeannot. Comme cela,
quand tu tomberas, tu ne sentiras rien.
Jeannot est très content! En plus, l'oreiller lui
tient chaud. Maintenant, il peut tomber
autant de fois qu'il le désire!
En fait, quelquefois, on dirait qu'il tombe exprès.
Et si c'était vrai?

3 DÉCEMBRE   **Youpi !**

Il neige ! Quel bonheur !
Les Grandes-Zoreilles sont ravis
De voir toute cette blancheur !
Ils vont pouvoir passer l'après-midi
À jouer devant leur terrier.
Ils font des boules de neige avec leurs gants,
Quand apparaît leur maman.
– Attention, dit-elle. Quand vous jouez,
Vous ne devez rien casser !

4 DÉCEMBRE

La neige

Il a neigé toute la nuit
sur le Bois Profond.
La Colline Câline est recouverte
d'un épais manteau blanc. En voyant
cela, les enfants Grandes-Zoreilles
sautent de joie ! Ils finissent
leur petit déjeuner à toute vitesse.
– On va faire une bataille de boules
de neige ! crie Riquet.
Il a encore de la bouillie sur le nez…
Maman Grandes-Zoreilles hésite
un instant. Elle devrait dire à Riquet
d'aller se laver le museau d'abord.
« Bah, tant pis ! » se dit-elle. Pour une fois,
elle le laissera jouer dehors. Après tout,
c'est la première neige de l'année !

5 DÉCEMBRE

Les boules de neige

Plop ! La première boule de
neige atterrit sur le nez de Gus.
– Je t'ai eu ! crie Riquet en riant.
Riquet s'est précipité dehors. Rien n'a pu l'arrêter.
Pendant que ses frères et sœurs mettent leurs vestes et
leurs écharpes, il commence à faire une provision de
boules de neige. Chaque fois qu'un petit lapin
met le nez dehors, Riquet lui envoie une
boule. Mais les autres ne se laissent pas faire.
– Attends un peu, Riquet ! Tu vas voir ! crient-ils.
La bataille de boules de neige a débuté.

6 DÉCEMBRE　Un carreau cassé

Les enfants Grandes-Zoreilles font une bataille.
Les boules de neige s'écrasent sur les nez,
les bonnets, et puis tout à coup… Bing !
Une boule de neige a cassé un carreau de la
fenêtre de la cuisine ! Très en colère,
Maman Grandes-Zoreilles apparaît.
– Qui a fait ça ? demande-t-elle.
Les enfants échangent des regards incertains.
Ils ne le savent pas.
– C'est de notre faute à tous, dit Gus.
– Dans ce cas, vous allez tous donner de
l'argent pour en acheter une autre, dit
Maman. Et désormais, vous ne
jouerez plus devant le terrier. Il
aurait fallu faire attention,
mes petits lapins !

223

7 DÉCEMBRE **Un cageot orange**

Bois Profond est tout enneigé. Hip et Hop ont trouvé
un vieux cageot dans le débarras. Ils le tirent jusqu'au
sommet de la Colline Câline puis, Hip grimpe dans
le cageot et Hop le pousse.
Hip glisse jusqu'au au bas de la colline.
– C'est une impression extraordinaire, dit-il
en remontant vers sa sœur. Essaye, je te pousse.
Mais Hip la pousse tellement fort que le cageot
se renverse et Hop se retrouve le nez dans la neige.

8 DÉCEMBRE **Un dessin**

– Il vous faudrait une vraie luge,
dit Papa Grandes-Zoreilles.
Nous allons la fabriquer nous-mêmes !
Quelle bonne idée ! Les petits lapins veulent
commencer tout de suite. Ils partent
à la recherche de solides planches de bois.
Tom dessine les plans de la luge
et indique même les mesures.
Maintenant, tout le monde
peut se mettre au travail.
Sous la direction de Papa lapin,
naturellement.

9 DÉCEMBRE **Attention au marteau !**

Les petits aident leur papa
à construire la luge.
Riquet soulève son marteau
et frappe le nez de son frère !
– Aïe ! crie Jeannot. Ça fait mal !
Riquet est désolé. Papa met un pansement
sur le museau de Jeannot.
Désormais, c'est lui qui plante les clous.
Un blessé, cela suffit pour la journée !

10 DÉCEMBRE **La luge**

Ma luge et moi
Nous glissons dans le bois
À toute allure !
Quelle aventure !

225

11 DÉCEMBRE

Le rouge-gorge

Riquet adore la neige et la glace. Ce matin,
il a fait de la luge pendant des heures.
– Si seulement c'était toujours l'hiver !
s'écrie-t-il, ravi.
Perché sur une branche, Roudoudou
le rouge-gorge n'est pas d'accord. Il a froid
et il ne peut pas rentrer dans son nid.
Car des pics de glace bloquent sa porte
et l'empêchent de rentrer chez lui !
Riquet est éberlué.

12 DÉCEMBRE

Je m'en occupe !

L'entrée de la maison du rouge-gorge
est bloquée par la glace.
– Je m'en occupe ! dit Riquet.
– Tu n'y arriveras pas ! dit
Roudoudou.
– Mais, je suis très fort, autant
que Robin le Lapin !
– On verra ! répond
Roudoudou, incrédule.

13 DÉCEMBRE   **Des glaces à l'eau**

Riquet tire de toutes ses forces sur la glace.
– C'est vraiment dur ! s'exclame-t-il.
Mais il ne renonce pas. Il tire encore une fois de toutes ses forces.
Riquet commence à avoir très froid aux mains et aux pieds.
Et la glace n'a pas bougé d'un millimètre !
Mais… La glace, ce n'est que de l'eau.
Soudain, Riquet a une idée.
– Attends-moi ici ! dit-il au rouge-gorge. Je vais
cherche mes frères et sœurs.
Quelle idée Riquet a-t-il en tête ?

14 DÉCEMBRE   **Miam ! La bonne glace !**

Roudoudou le rouge-gorge attend impatiemment Riquet. Pourquoi
a-t-il a besoin de l'aide de ses frères et sœurs ?
– Que veux-tu que nous fassions, Riquet ? demande Gus.
– Regardez ce qui empêche Roudoudou d'entrer chez lui,
explique Riquet en désignant la glace. Je n'arrive pas à la
casser ! Mais si nous la léchons ensemble, elle va fondre.
– Qu'attendons-nous ? dit Gus. Allons-y !
C'est ainsi que Roudoudou a pu
rentrer chez lui !

227

15 DÉCEMBRE **Un bruit étrange**

Maman Grandes-Zoreilles est dans la cuisine.

Elle a mis beaucoup plus de bûches que d'habitude, dans la cuisinière.

Dehors, il fait très froid et elle va faire une bonne soupe aux pois.

« Comme ça, nous aurons bien chaud », se dit-elle.

Elle va chercher des pois cassés et les met dans la marmite. Au moment
où elle la pose sur le feu, elle entend un bruit étrange.

– Snnrrrk ! Snnrrrk !

– Quel drôle de bruit ! dit-t-elle. On dirait qu'il vient
de la cuisinière.

Elle écoute de nouveau. Ça vient bien de là !

– Snnrrrk ! Snnrrrk !

Qu'est-ce que ça peut bien être ?

16 DÉCEMBRE **La cuisinière**

– Viens vite, dit Madame Grandes-Zoreilles
à son mari. J'ai peur que la cuisinière
ne soit cassée. Elle fait un bruit étrange !
Monsieur Grandes-Zoreilles accourt.
Voilà une bien mauvaise nouvelle. Il tapote
le tuyau de la cheminée et regarde à
l'intérieur de la cuisinière. Il n'y a rien
d'anormal. Cependant, le bruit
continue.

– Snnrrrk ! Snnrrrk ! Snnrrrk !
Papa lapin n'y comprend rien.
Il n'a jamais vu ça !
Soudain, il sent une odeur
bizarre. Ma parole…
Mais oui ! On dirait
une fourrure
en train
de brûler !

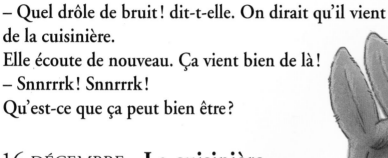

17 DÉCEMBRE — Un feu qui tousse

Il faut éteindre la cuisinière avant qu'elle
n'explose ! Deux longues oreilles roussies
apparaissent derrière la cuisinière.
Ce sont celles de Charlie ! Il s'est
endormi derrière la cuisinière
pour avoir chaud.

18 DÉCEMBRE

Charlie l'endormi

Une cuisinière à bois
Qui aboie,
A-t-on jamais vu cela ?
Quel est ce drôle de bruit ?
Le début d'un incendie ?
Papa saisit un seau d'eau
Et le feu cesse aussitôt.
Mais qui sort, là, en catimini ?
C'est Charlie l'endormi !

19 DÉCEMBRE **Un colis**

– Oh ! là, là ! gémit René le pigeon voyageur en s'essuyant le front.
Ce que c'est lourd !
Il n'a jamais livré un aussi gros colis ! Ce paquet adressé à la famille
Grandes-Zoreilles est tellement énorme qu'il a dû demander à sept
autres pigeons voyageurs de l'aider.
Dessus, il y a des timbres d'un pays étranger.
– Nous ne partirons pas avant que les Grandes-Zoreilles aient
ouvert le colis, René. Je veux voir ce qu'il y a dedans, après
tous les efforts que nous avons faits !

20 DÉCEMBRE **Trop paresseux**

Tout le monde attend pour voir ce qu'il y a
dans le colis.
Papa Grandes-Zoreilles coupe soigneusement
la ficelle avec un couteau. Dès qu'il soulève
le couvercle du carton, celui-ci se met
à trembler et à osciller.
Ma parole ! Il s'ouvre tout seul !
Et qui en sort ? Tonton Siméon !
Quelle surprise !
– Tu es donc trop paresseux
pour venir ici tout seul ?
s'écrie-t-il, très en colère.
Un lapin dans un colis,
non, il n'avait jamais vu ça !

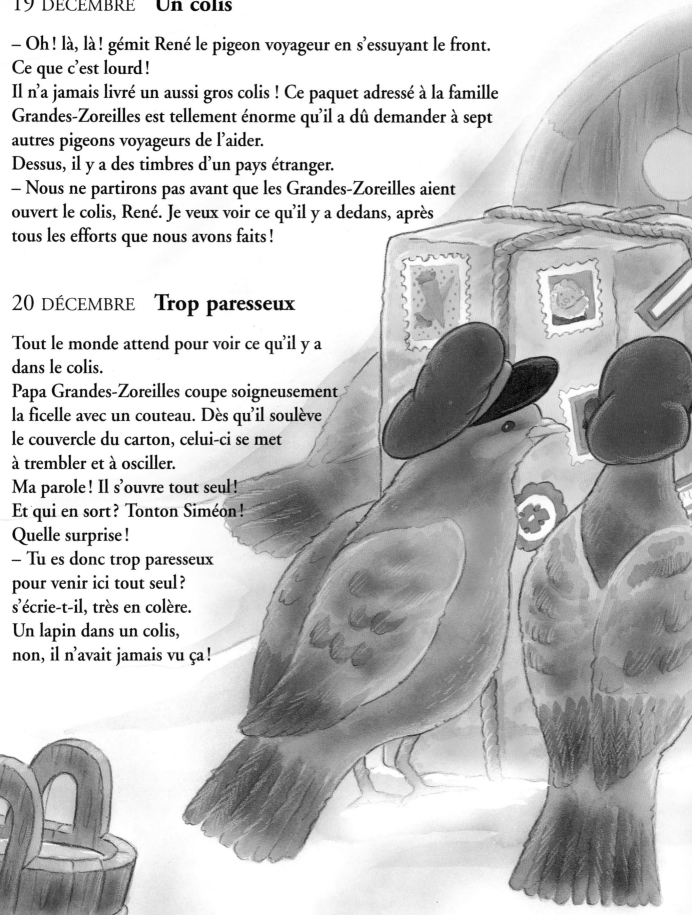

21 DÉCEMBRE Fâché

René est très fâché contre tonton Siméon. Croit-il qu'il n'a rien de mieux à faire que de porter des lapins paresseux sur son dos toute la journée ?
– Allons, René, ne m'en veux pas, dit tonton Siméon. Je voulais tellement faire une surprise à ma famille !
– Bon, bon, grommelle René. Pour une fois, je te pardonne. Mais ne recommence pas !

22 DÉCEMBRE Des cadeaux

Les petits Grandes-Zoreilles ont beaucoup de choses à dire à tonton Siméon. Ils lui montrent fièrement la luge qu'ils ont construite.
– Exactement ce qu'il me faut ! s'exclame-t-il.
– Que veux-tu dire ? demande Margot.
– Quand je suis parti, la dernière fois, réplique tonton Siméon, je vous ai promis de vous ramener des cadeaux. Eh bien, aujourd'hui, je vais aller les chercher !
– Il y en aura une pleine luge ! se réjouit Zoé.

23 DÉCEMBRE   Une histoire de Noël

Margot Grandes-Zoreilles écoute son papa avec
attention. Ce soir, il lit une histoire de Noël dans
le Manuel des Lapins. Cela parle d'animaux qui se
disputent et se battent tout le temps. Et puis, quand
arrive Noël, ils décident de vivre en paix.
– À partir de maintenant, nous ne nous battrons plus,
disent-ils en s'embrassant sous les sapins de Noël.
Margot pousse un long soupir. Quelle belle histoire !
Elle se promet d'être gentille avec tout le monde.
Après tout, c'est Noël dans deux jours !

24 DÉCEMBRE

Une amitié

Plus qu'un jour avant Noël. Margot Grandes-Zoreilles pense
toujours à l'histoire que leur a racontée son papa.
– Avant que Noël arrive, je veux être amie avec tout le monde,
décide-t-elle.
Sans perdre un instant, elle met son manteau. Elle va devenir
l'amie de Goupilou le Rouquin. Oui, même lui !
Quand le renard la voit arriver, il se lèche les babines.
– Miam ! s'écrie-t-il. Voilà un lapin bien tendre pour mon dîner.
Mais en même temps, il se demande pourquoi Margot est venue
le voir. Alors, au lieu de la croquer, il écoute la petite lapine lui
raconter une histoire de Noël. Elle parle tant que le renard commence à avoir sommeil.
Il bâille et ses paupières deviennent lourdes… Tiens, il ronfle !
« Quel dommage ! se dit Margot. Je dois partir
et nous ne sommes même pas devenus amis ! »

25 DÉCEMBRE   **Paix sur la Terre**

À Noël, le monde entier
Veut faire la paix.
Humains et animaux de la forêt,
Grands et petits,
Deviennent amis
Et chantent la mélodie
Qui célèbre enfin la paix.
Vive l'amitié !

26 DÉCEMBRE

Les décorations de Noël

Comme on ne peut pas faire entrer un sapin dans un terrier de lapin, les Grandes-Zoreilles ont décoré leur terrier à leur façon. Ils ont attaché des branches de sapin au-dessus des fenêtres. Ils en ont aussi fait une couronne, accrochée à la porte d'entrée. Maman a mis des bougies sur le bord des fenêtres. Elle les allume quand il fait nuit et le terrier a l'air très gai. Zoé trouve cela tellement joli qu'elle n'arrête pas de sortir pour regarder ce spectacle.

Mais elle rentre vite, car il fait très froid. Alors que dans le salon, le poêle ronfle et il fait bon !

27 DÉCEMBRE **Un vilain petit ange**

Tonton Siméon fait la sieste. Une branche de
sapin pend juste au-dessus de son nom.
Siméonet, chaque fois qu'il souffle,
l'ange pendu au bout se dandine.
Riquet courbe un peu la branche pour
que les petites ailes de l'ange
chatouillent le nez de son oncle
.– Aaa… tchoum !
– C'est la faute de l'ange !
dit Riquet. Il voulait sans
doute te raconter une
histoire !

28 DÉCEMBRE **Noël en mer**

Tonton Siméon regarde les bougies devant
la fenêtre. Leurs petites flammes lui
rappellent un souvenir…
– C'était Noël, raconte-t-il. Je naviguais sur
mon bateau et la mer était froide et grise. Le
compas avait gelé. Nous étions perdus. Nous
avions tellement peur que nous avions oublié
que c'était Noël ! Mais soudain, l'un de nous a
aperçu un feu à l'horizon.
Le capitaine a aussitôt mis le cap vers ces
flammes mystérieuses et au bout d'un moment,
nous sommes arrivés au Pays du Feu.
Les habitants de ce pays fêtaient Noël en allumant
de grands bûchers sur la plage. C'est ce qui nous a sauvés.

29 DÉCEMBRE

Pas de feu d'artifice!

– Non et non! dit Papa Grandes-Zoreilles.
Je ne veux pas que vous fassiez de feu
d'artifice. Gus, Charlie et Riquet
échangent des regards déçus.
– Pas même un petit pétard? insiste
Charlie.
– Non, réplique Papa. En tant que
membre de la brigade des lapins
pompiers, j'ai vu beaucoup d'accidents
dus aux feux d'artifice. Je ne veux pas
qu'il vous arrive quoi que ce soit.
Gus, Charlie et Riquet savent bien que leur
papa a raison. Mais tout de même, un joli feu
d'artifice qui éclate dans le ciel, c'est
magnifique, non?

30 DÉCEMBRE

Bang!

Ce soir, la famille Grandes-
Zoreilles est assise autour du
poêle. Papa a lu des histoires
après le dîner et les enfants
ont le droit de jouer un peu
avant d'aller se coucher.
– Si on faisait des châtaignes
grillées? propose maman.
Peu après, le feu fait éclater
les marrons. Riquet saute de
joie. Papa avait interdit les
pétards, mais il y a quand
même des explosions!

31 DÉCEMBRE Le réveillon

Le réveillon du jour de l'an,
Tout le monde l'attend !
Dans le terrier, onze lapins
Veillent sous le sapin.
Ils attendent l'heure magique,
Au douzième coup de minuit.
À cet instant, c'est magnifique,
L'année d'avant est finie
Et une autre commence,
Dans les cris de joie et les danses !